Un vendredi du mois d'août

DU MÊME AUTEUR

L'autre rivage, VLB éditeur, 1987 ; Le Noroît, 1999
L'amour panique, Lèvres urbaines, 1987
Avril ou l'anti-passion, VLB éditeur, 1990
Julia, Éditions du silence, 1992
L'apostrophe qui me scinde, Le Noroît, 1998
Comment ça se passe, Le Noroît, 2001

Antonio D'Alfonso

UN VENDREDI
DU MOIS D'AOÛT

roman

LEMÉAC

Leméac Éditeur remercie le ministère du Patrimoine canadien, le Conseil des arts du Canada, la Société de développement des entreprises culturelles du Québec (SODEC) et le Programme de crédit d'impôt du Gouvernement du Québec (Gestion SODEC) du soutien accordé à son programme de publication.

ISBN 2-7609-3261-3

4609, rue d'Iberville, 3ᵉ étage, Montréal (Québec) H2H 2L9
Dépôt légal – Bibliothèque nationale du Québec,
3ᵉ trimestre 2004

Imprimé au Canada

Nous sommes des créatures tellement mobiles,
que, les sentiments que nous feignons,
nous finissons par les éprouver.

Benjamin Constant, *Adolphe* (1816)

1

— Où est la crème à café ? Elle était pourtant ici hier matin. Qui a volé ma crème à café ?

J'ai failli mourir de rire. Je ne bois pas de produits laitiers depuis près de dix ans.

Hier encore, Ada s'est fâchée contre moi. Ses réactions viennent à retardement, n'importe quel prétexte anodin – cette fois-ci c'est la crème, d'autres fois ce sont mes bottillons laissés dans le salon – suffit pour qu'elle saute.

Réactive, imprévisible, Ada explose. Soudain un mal de quelques mois plus tôt surgit de son petit corps et ce sont les montagnes russes. Quand Ada se laisse aller, tout y passe : des journées entières de rage détonnent d'un instant à l'autre.

Je comprends avec difficulté comment elle peut contenir, des mois durant, autant de fureur dans son corps.

Au contraire, si une chose m'agace, je saute sur le coup, et parfois, avant même qu'un incident dégénère complètement.

Maintenant, je pouffe de rire si Ada commence à râler, ce qui a pour effet de quadrupler sa hargne.

Nous nous bâtonnons, sans bâtons évidemment, et souvent sans nous rappeler le mobile qui a déclenché cette nouvelle bagarre.

Ada verrouille tout en elle, mastiquant malheurs et appréhensions trente-trois fois, comme des légumes, avant de les ingurgiter.

Est-ce un signe d'auto-protection ?

Sans doute, adolescente, elle a souffert.

Ne sachant pas trop à cause de qui, de quoi, je suppose que ces douleurs ont des origines très lointaines.

Je ne suis pas médecin, ce n'est pas mon rôle de dépouiller la femme que j'aime de sa carapace. Je ne malaxe jamais l'amour et la psychanalyse.

L'important, c'est de vivre ensemble de manière honorable.

Partager nos vies communes et mouvementées crée l'amour, et pas ces semblants d'arrimages d'échanges protocolaires et subjectifs dont l'aboutissement est soi-disant bénéfique au couple.

Je sais que ce qui se prononce devant une conseillère sera, plus tard, forlancé durant un festin avec des amis.

L'erreur est de croire que l'amant puisse, à lui seul, satisfaire tous les besoins de la dulcinée. Coucher dans un même lit, baiser, étudier, manger, marcher avec son amant, se séparer de ou rejoindre l'autre, sont des activités fort complexes dans la vie d'un couple.

L'autre est là pour être apprécié et apprécier, non pas pour être analysé ou analyser.

D'où le besoin de rire.

Le rire ne remédie pas à tout, il aide, point.

Si j'ai besoin d'être débourbé, j'appelle un débourbeur.

Lorsqu'Ada a eu une appendicite, elle ne m'a pas prié de faire l'appendicectomie. Nous avons décampé en vitesse pour l'hôpital. Ce n'était pas le moment de jouer au médecin.

Je pense que le bluesman Willie Dixon savait quelque chose sur la vie du couple lorsqu'il râlait : « Fais-moi l'amour. »

On doit pouvoir aimer son compagnon pour ce qu'il est. Imaginez signer un contrat avec quelqu'un pour ce qu'il doit être.

De quel droit puis-je contraindre la femme aimée à changer ?

Certains de mes collègues disent qu'Ada réagit dramatiquement parce qu'elle est jalouse. Je me demande de qui ? De quoi ?

Je bosse tellement que, parfois, je m'endors avant que je puisse terminer ma séance de masturbation.

Je ne discerne pas les motifs de ses emportements ; cette jalousie est sans fondement. Je ne l'ai jamais trahie.

Je tente par le rire de lui démontrer mon affection et mon estime. Ça ne marche pas tout le temps.

2

Un long chemin monte en spirale vers une maison en stuc bleu.

Ada porte une robe rouge de coton sur sa magnifique peau olivâtre.

Elle avance vers la maison.

C'est l'été. Une porte sépare le jour de la nuit.

Une curiosité irrépressible propulse Ada vers sa destination, elle fait fi des avertissements que je lui crie.

Elle court à grands pas vers cette porte de nuages. Elle place sa main sur la poignée diaphane et l'été se transforme en une mer d'étoiles.

Ada dit :

— Nous flottons dans le sang d'une terre puissante.

Je ne comprends pas ses mots, et lui demande de s'expliquer.

Ada dit :

— C'est normal que tu ne comprennes pas, personne n'y comprend rien à ces histoires de paradis. En dépit de nos connaissances scientifiques et de nos technologies avancées, nous sommes trop petits pour voir la totalité de ce monde. Contente-toi de te précipiter comme une fourmi sur le sable du temps et de l'espace.

Tu ne vois pas que la nuit est épaisse et les meubles couverts de poussière.

Je dis :

— J'aperçois un éclair à l'horizon au-dessus de tes épaules.

Elle dit :

— Tu as peur ?

Je hoche la tête :

— Oui, j'ai peur, en dedans de moi, mais je ne sais pas de quoi j'ai peur, car rien ne m'effraie et je n'effraie personne.

Elle rit :

— Un jour tu verras comment les choses autour de toi s'imbriqueront l'une dans l'autre, et tu comprendras enfin. Maintenant suis-moi.

Ada me prend la main, la serrant fortement, je sais qu'elle ressent la crainte qui vibre en moi, le ciel se fond dans la mer, et partout il y a de l'eau qui se transforme en roue de bicyclette, et nous voilà, côte à côte, pédalant sur une allée de gravier qui mène au logis familial dans la région de la Molise en Italie.

Le vent est doux, nous rigolons par plaisir, je pousse mes doigts sur les cuisses d'Ada, il n'y a personne autour. Pourquoi ces cailloux sont-ils méconnaissables ?

Ada dit :

— Pose ta bicyclette contre le mur et suis-moi.

Je dis :

— Je fais un drôle de rêve.

Je décris la mer céleste magique qui nous a conduit à cette campagne.

Ada s'esclaffe :

— Ce n'est pas un rêve, concombre, nous sommes vraiment là, tu ne vois pas la cendre des étoiles sur tes épaules ?

J'aime qu'elle m'appelle « concombre ». Le concombre est un légume dont je raffole.

J'inspecte ma chemise et, en effet, je remarque la poudre grise.

Ada entre dans la demeure où a grandi mon père, et subitement je suis acculé au mur des latrines militaires du centre-ville d'une grande métropole où des soldats à la peau ébouillantée, visages calcinés par le feu, pissent sur moi.

Ni un souhait, ni un fantasme, ce qui commence comme un beau rêve, quasiment érotique, s'achève en cauchemar.

Un livre bon marché sur le rêve raconte comment l'urine est une métaphore de mauvaise santé, exposant la façon dont cette maladie affectera le comportement du sujet envers ses amis.

Rêver qu'on pisse sur moi signifie que l'amitié et l'amour traverseront un mauvais quart d'heure.

La déveine.

3

Loin d'avoir sublimé mes frustrations, je suis la proie d'un inconscient qui annonce la malchance.

L'échec, c'est quand on ne maîtrise pas ce qu'on croit maîtriser. Il y a maldonne ! Le plus difficile est d'admettre qu'on a échoué.

Je me suis longtemps pris pour un artiste. J'ai même tourné quelques films que la critique et le grand public avaient adorés. J'aime ce que je fais, même si mes films sont complètement ratés. J'ai beau croire qu'une œuvre est terminée, la vérité est que je ne termine rien. Je suis un paresseux forcené.

Je veux tout clarifier, dire ce qu'il ne faut pas dire. Je rouspète contre le monde entier, en me plaignant que les gens au pouvoir sont cruels et injustes. Inévitablement, je dois m'asseoir et m'avouer que l'erreur vient de moi, pas de l'extérieur.

Peut-être est-ce vrai, je suis un artiste médiocre.

Quand cette hantise s'est-elle fait sentir en moi ? J'en ai aucune idée. Je ne me souviens de rien.

On m'a tellement répété que j'étais un indésirable, un nul, que j'ai finalement tout jeté à la poubelle.

La télé, le frigo, l'horloge, les souliers plastifiés : que reste-t-il de mon corps nu ? Pas grand'chose, sinon la honte d'avoir mangé des êtres vivants que j'ai tués pour me nourrir. Je suis un cannibale de l'émotion.

Pourtant, depuis dix ans, je ne mange plus de viande. Je ne mange pas ce qui possède un visage, comme dit Paul McCartney.

Lorsque certaines personnes ouvrent la bouche, je peux voir si leurs dents ont déchiqueté de la chair de cochon ou de vache. La peau lacérée reste collée aux gencives, comme un mensonge dans les yeux. Quelquefois, on décèle aussi l'odeur du sang des bêtes sur leur langue.

Je prends un grand plaisir à pleurer quand je regarde un film niais à la télé.

4

Ada et Rasa dorment. Chacune dans leur chambre. Ada et moi ne partageons pas le même lit. C'est comme ça depuis le premier jour. Lorsqu'Ada m'a demandé si cela ne me dérangeait pas d'aller coucher dans le salon, je ne le lui ai pas reproché. Je comprends ce besoin qu'elle a d'avoir une chambre juste pour elle.

D'ailleurs, Ada et moi n'avons pas le même dentiste, nous n'allons pas chez le même optométriste, nous ne votons pas pour le même parti politique.

Il me suffit de quatre heures de sommeil, Ada en a besoin d'au moins huit. Elle est médecin généraliste, et ses journées sont rudement longues.

Je ne dis rien, mais secrètement j'envie les couples qui, la nuit, peuvent sentir la chaleur de leurs pieds sous les couvertures.

Les yeux me picotent. Je regarde par la fenêtre de ma mansarde et aperçois ma voisine portugaise jouer avec ses enfants. C'est une journée de canicule.

Fatima tente de mettre du pain beurré dans la bouche de ses deux tonnerres de garçons aux regards de Pan. Le mari en habit foncé boit son espresso, il s'apprête à aller travailler. Il est vendeur de chaussures. Sa belle-sœur Kathy, qui vient de se séparer de son mari, a loué deux chambres. Elle vit avec Maddy, sa petite intellectuelle, la tête invariablement baissée sur un roman, et son Gianni qui, à six ans, se prépare pour le prochain Mondial.

Dans l'air, il y a la senteur du petit déjeuner de mes autres voisins : la veuve Lorie et son fils, Angelo, l'ingénieur du son pour la radio d'État.

Je descends dans la cuisine, les pâtes de la veille dans les assiettes ressemblent aux petits cartons d'un casse-tête. J'étais trop fatigué pour débarrasser la table. Aucune intrigue devant l'inévitable. Tellement ému que j'étais par le film américain de série B, j'ai oublié de faire la vaisselle avant de me mettre au lit.

Je jette les restants dans un sac à ordures. Je nettoie le tout avant que ne se réveille Ada. Elle n'apprécie pas la vue de déchets au réveil.

Je bois un verre de jus de pamplemousse en lisant le *Globe and Mail*, *La Repubblica* et *Il Corriere Canadese* que j'ai ramassés devant la porte. Je ne bois plus de café depuis des années. Je suis assez nerveux comme ça. Si j'arrive à lire les pages du quotidien de droite qu'est le *Globe* c'est grâce à *La Repubblica* qui vient directement d'Italie.

— Tu ne peux pas prétendre être un intello si tu ne sais pas ce que la droite pense, me dit Barry Callaghan, un des grands écrivains du Canada anglais. Il faut connaître la pensée de l'ennemie pour connaître la tienne.

Barry a raison. Il faut tout savoir pour en piger un peu.

Je remonte dans le grenier et enfile un pantalon, un T-shirt, des bas rouges et des espadrilles. Je galope hors du logement.

Est-ce la chaleur de la matinée ou bien mon pantalon blanc qui me colle à la peau – n'étant pas vêtu pour le footing sérieux –, toujours est-il que je me courbe au bout de quelques minutes, essoufflé, un battement de cœur si effréné que j'ai l'impression que mon thorax va éclater. Je me tiens par les côtes et respire rapidement, avalant l'air infect du centre-ville en courtes gorgées. Non, je ne vivrai jamais loin du brouhaha de la ville.

Dans le *Corriere* ce matin, on parle de la médaille noire attribuée à Toronto. Elle est la ville la plus polluée du pays, avec plus de 88 498 tonnes de gaz chimique déversées dans l'atmosphère par an. Pas pour rien que Rasa souffre d'asthme.

5

Ma respiration est terrible. L'asthme est une pauvre excuse pour le paresseux que je suis devenu. À vrai dire, je ne suis pas du tout asthmatique. Il me faut bien inventer des raisons pour ne pas travailler ce matin, en ce 31 août.

D'ordinaire, je turbine jour et nuit ; ferveur qu'Ada admire mais dont elle se passerait, par contre. Je travaille trop. Aujourd'hui, enfoncé dans ma chaise, je stagnerai devant mes ordinateurs à rêver.

Je ne me souviens plus qui a dit que le *workaholic*, ce bourreau de travail, est foncièrement un paresseux. Il a raison.

Lorsque nous habitions Montréal, je courais pendant une heure autour du parc Lafontaine sans jamais m'arrêter pour chercher mon souffle.

Depuis que je vis dans la capitale de l'Ontario, j'ai laissé tomber le conditionnement physique et le yoga, et me contente, à la rigueur, de réciter le mantra que mon yogi m'a transmis, comme un secret, sans trop me prendre au sérieux, pour me reposer. En général, une cigarette fumée au bon moment fait l'affaire.

On ne rejoint pas le nirvana en trichant. Et puis, je ne veux pas aller au paradis des morts avant mon temps.

Je ris en pensant à la blague qu'un monteur de film m'a racontée hier. Ce sont deux amis qui sont au ciel depuis mille ans. Ils commencent à en avoir marre d'écouter la même musique de harpes célestes. Ils décident d'aller voir saint Pierre pour lui demander s'il n'y a pas un endroit où ils peuvent se divertir.

Saint Pierre dit :

— Oui, il existe un endroit. Il suffit de descendre l'escalier et de tourner à gauche.

Les deux amis se regardent et disent qu'ils aimeraient bien y aller. Le saint leur donne donc la permission d'un court séjour.

Les copains suivent les marches et tournent à gauche au bas de l'escalier où ils s'arrêtent devant un énorme portail. Ils frappent. On ouvre. Ils entendent une musique de danse.

Ils entrent et tombent sur de magnifiques femmes nues qui les accueillent à bras ouverts. C'est de la folie pure. Ils font l'amour jusqu'au lendemain. Mais il est déjà temps de remonter au ciel.

Saint Pierre ouvre la porte et les laisse entrer. Passent mille ans.

Les amis vont revoir le saint qui leur accorde une deuxième permission de retrouver leurs conquêtes à l'étage inférieur. Après une fin de semaine de folie amoureuse, les amis remontent au ciel.

Passent mille ans.

Ils revisitent saint Pierre qui, cette fois-ci, semble moins enclin à se plier à leur souhait. Le saint dit :

— Écoutez. Il faut choisir. C'est là-bas ou ici.

Les amis se regardent et prennent une décision finale.

— Nous aimerions vivre à l'étage du dessous.

Saint Pierre dit :

— Vous êtes certains ?

Les copains disent :

— Oui.

Saint Pierre ouvre la porte et, dès que les deux hommes ont descendu l'escalier, ferme la porte à clé.

Les amis, en extase, ne se retournent pas une seule fois pour regarder le paradis perdu.

Arrivés au portail au bas de l'escalier, ils cognent avec joie.

Il n'y a étrangement aucune réponse.

Ils frappent à nouveau.

Rien.

Ils frappent une troisième fois, et soudain on déverrouille.

Lucifer les empoigne au collet et les pousse violemment contre le mur où une douzaine d'hommes les piquent aussitôt avec des fourches brûlantes.

Les amis crient :

— Arrêtez. Que se passe-t-il ? Ce n'est pas la première fois que nous venons ici.

Lucifer éclate de rire :

— Avant, c'était le tourisme. Maintenant, c'est l'émigration. Bienvenue en enfer !

6

Je suis loin d'avoir fabriqué des films qui font pleurer les rêveurs. À part quelques documentaires sur la drogue et le crime organisé, j'invente des illusions bien modestes.

J'ai filmé un tueur à gages qui avait plus à raconter que les grands romanciers que j'ai rencontrés à Toronto. Sa vie était bondée de cadavres avec lesquels, avant de les tuer, il avait tenu des discours sur le sens de la vie qui le laissaient perplexe. Selon lui, ce qui comptait avant tout était l'honnêteté. On pouvait avoir commis le pire des crimes, si la victime était fidèle à sa cause, cela lui valait le mérite d'avoir vécu.

Ce criminel ne se prenait pas pour un dieu. Il ne faisait que suivre les ordres de son chef. Il pouvait toujours prédire celui qui méritait de mourir comme un lâche et celui qui mourrait avec dignité. Malgré son travail louche, ce n'était pas un minable.

Je reconnais le génie. J'arrive toujours à distinguer la grandeur du minable. À mon âge, je n'ai plus de secrets à cacher, je n'ai plus d'exploits à inventer. La réalité est un vêtement de travail dans lequel je me glisse tous les matins. Je ne m'en plains pas. J'en suis presque jubilant. Le bonheur s'est enfin installé en moi, et j'en suis fier.

Ce qui compte n'est pas la gloire, ni un excès de succès. C'est le processus. Il me suffit d'un sourire honnête à la fin de la journée pour que je me réfugie, content, devant la télé, en train de repasser mes chemises et en dégustant un téléfilm que j'ai refusé de tourner.

Hier, j'ai essayé de vendre un projet de film à des représentants de grandes compagnies américaines ; le résultat n'a pas été réjouissant. Les producteurs ont ricané, sans que je sache ce qu'ils pensent vraiment du synopsis. Ils m'ont soufflé des compliments pour les images que j'ai tournées. Leurs jolies paroles se concrétiseront-elles en argent ?

Je devrais m'accommoder de la petite maison de production pour laquelle je travaille depuis vingt ans. Nous vendons beaucoup moins de produits que ne vendent ces grandes maisons de production. L'essentiel c'est le travail, car quelqu'un paiera toujours quelques sous pour un travail bien accompli. En dépit de la mauvaise presse je pense que notre travail est acceptable.

7

Je me dis que je dois écrire toutes ces idées dans un journal intime. Cependant, je m'en méfie. Surtout quand tu as vu ta conjointe te jeter en pleine figure ton carnet de notes pendant une chicane. Elle m'a fait les pires reproches pour des fantasmes qui ne se sont jamais réalisés. Le journal intime est plus vrai que la réalité. Et maintenant, une réalité me suffit amplement. Pourquoi interpréter une histoire en train de se dérouler ? Je témoigne du présent en le filmant. Je filme le présent, et je projette dans une salle ce présent transformé en passé. Je ne commente jamais ces images.

Je veux tout oublier, j'ai la bougeotte. Mes jambes remuent comme celles de James Brown.

Je dois dormir, me reposer, je n'y arrive pas.

En rentrant hier soir, Rasa, qui a la varicelle, voulait pour se distraire que nous regardions ensemble le film où Charlot mange son soulier. *La ruée vers l'or*. Ce film la fascine depuis qu'elle est toute petite. Elle adore surtout la scène où le gros Jim affamé imagine Charlot en tant que poulet juteux. Belle image de végétarisme. Chaplin était végétarien.

Rasa riait à gorge déployée, assise là, entre mes jambes pendant que nous mangions une assiette de fusilli aux rapini.

Rasa à mes côtés. C'est nouveau chez elle, ce désir de rester auprès de moi. Dans cette proximité, on devine la protection paternelle, oui, mais c'est plus que ça. Je ne sais trop comment l'appeler. De la reconnaissance. Elle découvre que papa est davantage que l'ombre de maman.

Ces jours-ci, elle me parle en anglais, en italien, en portugais – sa gardienne est la Portugaise Fatima – et en français – elle fréquente l'école de langue française. C'est émouvant de la voir rapporter les phrases apprises à l'école. Un enfant est une éponge. Il faut tout lui offrir.

Rasa rigole si je la supplie de traduire en italien les phrases portugaises. Quel plaisir de voir cette jeune fille de cinq ans danser ainsi entre les langues. Un vrai ballet.

Un soir, elle s'évertuait à trouver le mot français pour *bark*. Sur le coup, le mot *écorce* ne m'était pas venu à l'esprit. J'ai dû vérifier dans le dictionnaire. Rasa s'est esclaffée : « Papa, tu ne connais pas le français. »

En effet, avec toutes ces langues qui virevoltent dans ma tête, je ne sais plus quelle langue parler.

8

Je me marre toujours au cinéma. Je ricane générale-
ment aux mauvais endroits. Des amis me l'ont fait
remarquer. Je pouffe de rire avant que la blague n'ait eu lieu.
Mon hilarité, qu'importe l'endroit où elle retentit,
est un remerciement au cinéaste qui a su me divertir en
racontant sa vie. Une simple anecdote est l'exclamation
de la présence totale de son être. Il me dédie ainsi tout
l'amour qu'il trimballe en lui.
Le rire, c'est l'expression de mon étonnement. Je
ris au lieu de battre des mains. Je ris comme on souligne
les passages d'un livre qui bruissent significativement
en soi.
Je pleure comme je ris. Les pleurs sont une variante
du rire. Ne pleure-t-on pas à l'écoute d'une bonne
farce ? On pleure lorsque le rire ne suffit plus à englober
la totalité d'une expérience. Ne dit-on pas, rire aux
larmes et pleurer de rire.
On rit une fois que l'accroc si mortifiant est guéri.
Pleurer jusqu'à en rire.
Pourtant le rire, c'est l'action que l'enfant prend le
plus de temps à comprendre et à imiter. Rasa a pleuré à
la seconde où elle est entrée dans ce monde. Imaginons

Rasa sortant du ventre de sa mère en riant aux éclats. Quelle belle image. Depuis des mois je n'ai plus le désir de rire. Je suis content, mais je ne ris plus comme avant. Comment rire ou pleurer devant la souffrance d'un enfant ? Rasa a la varicelle. Un enfant est un cadeau de la terre. Elle peut contrôler ton existence. Je m'inquiète : elle ne doit pas se gratter, sinon elle risque d'être marquée pour la vie.

Gianni Moretti montre, dans *Caro Diario,* comment les enfants se transforment facilement en terreur quand le fonctionnement amoureux du couple se dérègle. Moretti est un cinéaste de ma génération, le seul artiste italien qui m'interpelle aujourd'hui.

Je me rends compte du fait que je dévoile des secrets qu'on ne devrait pas dire en public. Je me dis que je n'ai pas de secret.

Je déparle tellement que tout le monde sait, plus ou moins, et en tout temps, ce que je pense, ce que je vis et ce que je mange. Je suis incapable de me taire. J'écoute beaucoup, parfois pas très bien. Je suis infatigablement présent aux autres. La rencontre des gens est la manifestation glorieuse de sa présence au monde. Sans présence, tout est perdu. Paradoxalement, j'enregistre ce qui m'élude. Si la vanité est le moteur du monde, elle ne sert pas à grand'chose quand il s'agit de prononcer « présent ».

La senteur de riz, d'ail, de pommes de terre, d'oignons et de tomates me tire de mon demi-sommeil. Ce sont les douceurs du souper de demain. Bien sûr, j'adore les pâtes. Il y a aussi l'incantation du riz arborio. Un risotto aux champignons vaut bien des penne all'arrabiata. Ne tardons pas. Au travail.

9

Ada. J'ai fait sa connaissance le premier soir de mon arrivée à Toronto.

Jennifer, une amie, une actrice assez connue dans le milieu anglophone, nous a présentés.

J'étais sorti prendre un verre avec un collègue, lorsque j'ai aperçu Jennifer traverser la rue Queen.

Je l'ai invitée à boire un martini de l'amitié avec nous.

À peine avait-elle terminé son verre qu'elle m'invitait à son tour à dîner chez elle.

Jennifer dissimulait un petit détail : elle avait également invité une amie de jeunesse.

Aux cheveux très courts, comme je les aime, Ada était assise par terre en train de jouer aux échecs avec la fille de Jennifer. Ada portait une salopette qui lui donnait un air d'ouvrière chinoise qui ne me déplaisait guère.

Je la regardais, silencieux, en train de se faire battre par l'adolescente, et c'est à ce moment-là qu'elle m'est apparue comme une femme pouvant faire chavirer mon cœur.

Aussitôt terminé le repas de couscous au cari et aux grains, nous nous sommes retrouvés, Ada et moi, seuls dans la rue.

Il était environ trois heures du matin. Ada était venue en voiture. Lui proposer de la raccompagner chez elle en voiture me semblait absurde.

Je lui glissais tout poliment un bout de papier sur lequel j'avais inscrit le numéro de téléphone des gens chez qui je louais une chambre pour rien, au cas où elle aurait eu envie de me parler. Un geste anodin et, me paraissait-il, si peu macho, lui ôtant ainsi toute possibilité de répondre « non ».

Le plus drôle – « drôle » n'est peut-être pas le mot juste pour décrire le sentiment qui m'envahit alors – c'est qu'elle a refusé carrément de prendre la feuille de papier. Elle m'a dit que ce n'était pas nécessaire.

La main tendue comme un mendiant, je lui signalai tout de même que c'avait été un honneur pour moi de faire sa connaissance.

Que me restait-il à faire, sinon lui souhaiter bonne nuit ?

Le lendemain le téléphone a sonné à six heures du matin.

Ada s'excusait de m'avoir maltraité la veille.

Je lui pardonnai, en l'assurant que son geste ne m'avait pas semblé maladroit du tout. Il était possible qu'elle avait perçu mon invitation comme une agression.

Elle m'invitait à boire un pot.

— À six heures du matin ? j'ai dit.

— Concombre. Après le travail. Disons dix-huit heures.

À l'époque, nous étions en train de tourner *Antigone Pacifica*, et je devais absolument retourner à Montréal pour filmer quelques scènes finales.

— Je dois partir avant dix-neuf heures, sinon je risque de m'endormir au volant. La route est longue, et je n'aime pas trop conduire la nuit.

— Remettons la rencontre à une prochaine fois.

Je ne pouvais refuser.

— Non, non, une heure suffit amplement pour savoir si ça vaut la peine de nous revoir.

Nous nous rencontrâmes le soir même, dans un bar de la rue Collège, et quelques mois plus tard nous vivions ensemble.

10

Me voilà plus réaliste que romantique, plus écolo-
giste que sportif, plus mari que séducteur. Je dois me
concentrer et déballer les cadeaux du monde afin de
recommencer à respirer. Je n'ai plus envie de manger. Ce n'est pas la
faim qui m'empêche de travailler, mais l'absence de
souvenirs.

La mémoire fait surface comme un bouillonnement
d'images, et puis doucement elle coule au fond de mon
corps. Les maisons de notre quartier m'encouragent
à continuer la promenade. Les constructions se ressemblent dans les villes nord-américaines, et les voisins
sont rassurants. Les toits pointus de cette architecture
victorienne apaisent mon esprit qui, en temps normal,
est assez rébarbatif à la monotonie.

Je suis, en dépit de cette construction sobre qui ne
correspond pas à ma gaieté, en terrain connu. J'allais
oser murmurer « je me sens chez moi ». C'est un concept
que j'arrive difficilement à prononcer. Je suis « chez
moi » là où je me sens bien dans ma peau, partout et
nulle part à la fois.

Et, en cet instant précis, je me sens bien dans mes
chaussures de course, mes bas rouges, mon pantalon

blanc et mon T-shirt. C'est comme si je portais un habit de gala et un nœud papillon.

Je suis chez moi devant le fleuve, artère principale de la métropole ; devant la mer, grand parc pour grands enfants fatigués ; devant l'océan avec ses plages de sable doux ; devant ma table de montage, seul jury respectable qui décidera quelle scène garder et quelle scène balancer.

Il fait une chaleur irréelle depuis le premier jour du mois. La terre est une bouilloire rouge à cause du smog.

Pourtant, j'aime la sueur collante qui s'amuse à chatouiller mon dos jusqu'aux fesses, en ce matin où la nature taquine sort ses longs doigts amoureux.

On a beau chanter les beautés de la neige et de l'hiver, selon moi, il n'existe qu'une seule saison : c'est l'été, avec ces cerises de larmes qui, tout à coup, nettoient l'iris du ciel. Il n'y a qu'une seule façon de vivre, et c'est en se livrant à la chaleur élémentaire.

Les autres saisons ne sont que des succédanés pour un monde triste qui refuse de danser.

Me promener nu dans ma chambre transformée en bureau, voilà le vrai plaisir.

Contrairement à bien des travailleurs autonomes, j'apprécie de travailler à l'abri des gens, solitaire, chez moi, en buvant un verre d'Évian à peine refroidie, et en me lamentant, comme un espiègle, de la pression étouffante de l'été.

L'eau qui coule dans ma bouche me rappelle que boire derrière une fenêtre couverte de neige serait une sottise. Il faut avoir connu la sécheresse du Mexique, par exemple, pour mieux jouir des mystères de l'eau en ce jour d'été.

Ces pensées sur l'eau me donnent soif et je décide d'entrer dans un dépanneur, ouvert jour et nuit, appartenant à un couple de Coréens sympathiques.

Ayant le même âge que moi, ils passent la plupart du temps enfermés dans ce petit magasin du coin. Immigrants de la Californie, qu'ils ont quittée à cause de la trop grande présence de violence, ils se sont installés, pendant dix ans, à Montréal avant de s'établir ici, à quelques pas du quartier coréen.

Fiers de leur unique enfant, ils lui enseignent les mathématiques, ainsi que la grammaire coréenne, entre la vente d'un paquet de cigarettes et d'un carton de lait. Le dépanneur, me dit l'époux en souriant, dépanne les buveurs de lait et les fumeurs.

— Avec ma bouteille de jus de pamplemousse, j'ai l'air de quoi ? je leur dis en français. Donnez-moi aussi un paquet de Gauloises blondes.

Nous nous parlons constamment en français, car ils ne veulent pas oublier le français qu'ils ont appris au Québec.

— Tu n'es pas un client comme les autres, blague l'épouse, dont le nom me demeure jusqu'à ce jour inconnu.

L'époux rit aussi, et puisque nous rions tous ensemble, je leur raconte la blague des deux amis lassés du paradis.

Avant que j'en arrive à la fin, deux hommes, cagoules sur le visage et fusils à la main, s'enfoncent dans le magasin.

L'un d'eux me pousse, la bouteille s'écrase par terre, le jus se répand sur mon pantalon.

Le second homme court vers la caisse et plante son fusil sur le front de l'épouse. Il tire un sac à ordures de son veston, et crie :

— Mets tout l'argent de la caisse et toutes les cigarettes dans le sac.

Personne n'ose bouger. Je suis à genoux, un fusil braqué sur ma tempe. Je fixe le trou d'où sortira la balle qui mettra fin à mes jours si j'essuie la goutte de sueur qui picote mon front. J'admire comment les Coréens sont posés, ils connaissent la routine.

Je contiens ma nervosité et respire profondément, assez profondément, comme je le fais lorsque je répète mon mantra. Tiens, je me dis, la méditation transcendantale va me servir pour de bon. J'ouvre les yeux et toise les yeux de l'homme devant le comptoir, qui pivote pour lorgner son collègue qui a toujours son fusil contre ma tête. Celui-ci, nerveux, crie de se dépêcher. L'autre, excité, hurle qu'il fait ce qu'il peut.

La voix, je la reconnais.

L'homme avec le fusil se tortille vers moi, ses yeux bleus croisent les miens, et là, soudain, l'horreur de l'astuce me frappe de plein fouet.

L'homme au fusil, c'est Peter Hébert, mon beau-frère.

Lui aussi me reconnaît. Il sacre une menace à gorge déployée vers son ami, protestant contre la lenteur de la Coréenne qui réagit en jetant flegmatiquement dans le sac à ordures tout ce qu'elle attrape avec sa main.

Elle tend le sac, rempli de sous et de dollars, de cigarettes et de cigares, à l'ami de Peter qui gueule :

— Vite, sortons d'ici.

Les bandits s'envolent.

Le Coréen, soulagé, accourt vers moi.

Je me relève, ébranlé, trempé de jus de pamplemousse. Je m'excuse pour le dégât. Je hausse les épaules désespérément, tout en cachant le fait que c'est mon beau-frère qui vient de commettre ce hold-up.

— Ça ne vaut pas la peine de s'énerver. Dans ce genre de situation on doit se dire que la valeur de nos vies est plus élevée que l'argent foutu. Ils ont pris, quoi, à peine deux cents dollars en argent comptant et quelques centaines de dollars en cigarettes.

L'époux revient vers moi avec une autre bouteille de jus.

— Voilà. Et maintenant, va te reposer chez toi. Ne t'en fais pas, nous allons appeler la police.

Je les salue.

Je suis complètement mouillé par le jus et surtout par ma sueur. J'ai le trac.

11

Je rentre à toute vitesse, je me dirige vers la cuisine où Ada est en train de boire son café, assise dans sa chaise rembourrée, située devant une fenêtre. Son rituel matinal. Elle me dévore des yeux.

— J'ai assisté à un vol à main armée chez les Coréens. Un des gars était Peter.

— Peter ?

— Le mari de ma sœur.

— Peter Hébert ? En es-tu certain ?

— Il tenait un fusil contre mon front. Je ne suis pas près d'oublier ses yeux bleus.

— Peter n'est pas le seul à avoir des yeux bleus.

— C'était bien Peter Hébert.

Ada recrache le nom Peter plusieurs fois avant de me demander si je vais appeler Lucia.

— Il faut le dire à ta sœur, elle insiste. Ce serait stupide de ta part de ne pas lui raconter ce que tu as vécu. Que fait-il ici à Toronto ?

— N'a-t-il pas un frère ici ? je dis.

Elle ne m'écoute plus, ses yeux collés sur le cadran du four.

— Dépêche-toi, sinon tu vas rater ton avion.

Il est près de sept heures trente. Mon avion part à huit heures quarante-huit.

Je descends au sous-sol. Rasa est assise sur le bol des toilettes.

— Papa, nettoie-moi. Tu transpires ?

— J'ai fait du jogging.

Rasa s'étire de tout son long sur mon genou. Elle me montre ses fesses que je frotte doucement avec du papier hygiénique. Elle exige d'être lavée avec une serviette mouillée.

Depuis qu'elle est toute petite, je lui réitère qu'il est plus sain de se laver avec de l'eau que du papier.

Rasa se rhabille et court vers la cuisine en tonitruant :

— Papa est en sueur, sueur.

Rasa improvise une chanson avec le mot « sueur ».

Je me rase et saute dans la douche. Envahi par les jets d'eau froide qui trouent la peau, je pense à Lucia, à comment je vais lui annoncer la nouvelle.

Ada et Rasa me conduisent à l'aéroport.

Je raconte un incident qui s'est produit il y a de cela une vingtaine d'années à Montréal.

J'habitais seul, c'était mon premier appartement, dans les années soixante-dix.

Un soir Peter sonne à la porte, un sac sportif lourd au bout des bras.

— J'ai un service à te demander.

C'est mon beau-frère, il fait partie de la famille, je ne peux le lui refuser. J'accepte de garder son sac dans la garde-robe de la pièce qu'il m'avait un jour aidé à peinturer.

Une semaine s'écoule, et une deuxième. Mon ami Thomas vient me voir. On parle de peinture et de cinéma. Il s'inquiète. Ai-je ouvert une seule fois le sac pour regarder ce qu'il y avait dedans ? Je dis non.

Thomas me traite de « con » et entre dans la chambre. Il ouvre la porte de la garde-robe et tire le sac. Il défait la fermeture éclair.

— Je m'en doutais.

Empaquetées dans des enveloppes de plastique, des briques de haschich, chacune clairement estampillée avec son numéro.

— Tu l'appelles immédiatement et lui ordonnes de venir chercher cette merde avant qu'il ne soit trop tard.

Peter vient le soir même pour ramasser son sac.

Nous échangeons un « bonsoir » rapide et il repart avec son secret dans la nuit.

— Je ne pourrais pas raconter cette histoire à ma sœur, je dis.

Rasa, qui n'a rien compris, insiste pour que je lui explique ce qu'est le haschich.

Je dis :

— Du chocolat.

12

Je descends le premier de la voiture avec mon sac beaucoup trop lourd pour mes épaules.

J'embrasse Ada et je lui dis : « Je t'aime. » Elle me dit : « Merde. » Je me penche dans la voiture et pose mes lèvres sur la joue de Rasa. Lorsque vient le temps de les retirer je fais semblant que mes lèvres restent collées à sa joue. Rasa dit : « Papa, cesse de faire l'enfant. » Je lui chuchote en italien : « Ti amo. »

Je cours jusqu'au kiosque d'Air Canada.

— Monsieur Notte ? L'avion est prêt à partir.

Je remercie l'hôtesse et pars en courant vers l'entrée de l'embarquement.

Une seconde hôtesse de l'air pitonne sur le clavier de son ordinateur.

— Entrez vite. On vous attend.

Je monte dans l'avion et m'assieds à ma place.

Voyageur novice, je préférais le siège près du hublot. Depuis, je recherche un siège le long de l'allée, plus proche des toilettes. L'impatience me travaille les tripes.

L'avion est bondé d'hommes et de femmes d'affaires, chacun la tête plongée dans un quotidien de son choix. Je ne lis pas les journaux par plaisir. Je les lis

une seule fois, le matin, en sirotant mon jus de pamplemousse, et rarement plus de vingt minutes, juste le temps
d'apprendre comment s'est déroulé le jour précédent
dans le monde. Il est clair que l'humanité tire à sa fin,
je ne m'en félicite pas, étant moi aussi responsable, à
ma petite façon, de notre faillite.

Demain, parlera-t-on du vol chez les Coréens ?
J'en doute. Un vol, sans meurtre, ne fait pas les man-
chettes.

Je tire un livre de mon sac. *Sperm Wars*, de Robin
Baker. N'importe quand, n'importe où : je choisis un
essai ou un récit autobiographique au lieu d'un roman.
Je n'aime pas la fiction, je n'aime pas qu'on me raconte
des histoires. Je veux écouter le grain de la voix de l'écri-
vain, et il y a si peu de voix aujourd'hui dans la masse
de livres publiés en Amérique du nord.

Ma prédilection est pour la recherche. Trop de
gens inventent des narrations préfabriquées qui m'in-
diffèrent. J'ai un faible pour l'erreur, l'imperfection.
La fable de machin truc date rapidement. L'ennui
s'installe à peu près à la page 32. Je dépense un tas de
sous à acheter des romans. Si peu me séduisent. Je les
oublie aussitôt lus. Même les meilleurs, les grands chef-
d'œuvres me laissent sur mon appétit. Les romanciers
m'exaspèrent.

Le romancier pousse en vain son doigt partout en
quête du point G, tandis que l'essayiste l'atteint à chaque
fois, sans aucune difficulté.

J'ai aussi un point faible pour les poètes. Le Point
Gräfenberg de la création, est-ce là le point d'angoisse
du raconteur d'histoire ?

La lecture comme vase communicant. Voilà le
plaisir qu'elle procure.

Parfois, le cinéma aussi souffre de la maladie de raconter trop d'histoires. Il fut un temps où les films semblaient vouloir s'arrêter dans les salles de cinéma, on laissait aux gens le temps de réfléchir un peu aux images qu'on projetait. Aujourd'hui, la nouvelle manie de raconter tout événement suivant les principes de la narration néoclassique m'exaspère. Ce n'est pas pour rien que je me retrouve souvent sans emploi. Les producteurs m'appellent pour filmer une émission sur tel ou tel incident, dans la plupart des cas, criminel. Rares sont les crimes qui me fascinent. Rares sont les histoires de criminels qui émeuvent. Ce que je cherche, c'est le côté baroque et chaotique de la vie des criminels.

Étant médiocre moi-même, je vois de la médiocrité partout. Je croque dans la pomme qu'une hôtesse a mis devant moi. Elle est verte, amère.

Ma voisine, une femme dans la soixantaine, rompt son croissant. Elle est surprise que je n'en ai pas reçu.

— J'ai demandé un déjeuner végétarien.

Elle fait « ah » et se penche vers moi, et murmure qu'elle a beaucoup aimé *Sperm Wars*.

— Ce scientifique épouse une théorie biologique fascinante.

— Je suis surpris que vous ayez aimé ce livre, je veux dire en tant que femme...

— L'auteur nous prévient dans son introduction que beaucoup de femmes y trouveront des idées controversées. C'est un fait. Ça n'atténue pas leur charme. Dire que la séduction est régie par la survivance de l'espèce houspille notre façon de voir le rapport homme-femme, ainsi que les rapports femme-femme et homme-homme.

Si j'examine ma vie, Dr Baker a raison. J'ai séduit mon mari en suivant des règles bien distinctes de celles qui m'ont attirée vers mes amants. J'ai un homme pour me garantir ma protection et un autre pour me satisfaire sexuellement. Mes propos vous choquent peut-être ?

— Pas du tout. Au contraire. Je me faisais la réflexion que le monde manquait d'originalité. Vous êtes assez exceptionnelle.

— L'autre jour, dit-elle, j'ai lu un graffiti curieux dans les toilettes d'un gratte-ciel, dans rue Bay. « Si tu crois qu'il fait chaud aujourd'hui, attends d'être en enfer. » Ça m'a fait sourire. Je ne pourrais pas vivre avec un homme comme ceux qu'on voit dans cet avion. Ce n'est pas sage de parler ainsi, mais c'est la vérité. C'est ma vérité. J'ai tout donné pour être heureuse dans ce château de banlieue, mon mari avec sa camionnette, moi avec la grosse bagnole, nos gosses enrégimentés dans les meilleures écoles privées de la province. Je me suis adaptée à ce parvis pendant plus de vingt-cinq ans. Un jour, mon mari parti en voyage d'affaires, je me suis mise à mastiquer des somnifères comme des bonbons. Si ce n'était de ma voisine, avec laquelle je joue au bridge tous les après-midi, à l'heure du thé, moi, le petit joujou de Woodbridge, je me serais retrouvée dans un fossé de six pieds, au lieu d'être assise ici, en train de me vanter d'avoir survécu à la monotonie de la vie rangée. C'est à l'hôpital, pendant ma convalescence, qu'un médecin m'a prêté *Sperm Wars*. Le livre sortait de sa redingote blanche de médecin. Je l'ai tiré de la poche et je me suis mise à rire quand j'ai lu le titre. « Un livre hypnotisant », a-t-il susurré. Je l'ai lu ensuite d'un coup. À chaque Noël, j'achète plusieurs exemplaires de ce livre pour offrir à mes voisines en cadeau, au lieu d'un service de table, comme j'avais l'habitude de faire. Ce n'est pas le livre qui m'a aidée à me séparer de mon mari. Je vous parle de ce livre parce qu'il était là durant mes tribulations.

Elle me sourit avec complicité.

Je ne sais trop quoi répliquer.

— Je parle trop. J'aurais dû vous laisser la parole. Dommage que nous soyons déjà arrivés à Dorval. Vous connaissez Montréal ?

— J'y suis né.

— J'y vais pour passer quelques jours avec ma sœur jumelle. C'est une religieuse.

Nous nous levons et attendons dans l'allée.

— La religion, continue la femme, il n'y a rien comme la religion. C'est la seule chose pour laquelle tu n'as rien en retour pour ton argent. Quelqu'un te tend la main, et tu lui refiles des sous. Lui ne donne rien en échange. Parfois les caisses pour l'offrande sont tellement grandes qu'on dirait des colonnes qui soutiennent l'église.

Je ris, et lui tends la main.

Elle dit en blaguant :

— Je n'ai pas d'argent à t'offrir. Quel plaisir de vous rencontrer, monsieur le psychiatre, vous savez si bien écouter.

J'examine ses souliers, et me lamente du fait que je n'ai pas pris le temps de savourer ses chevilles.

Certains hommes reluquent les yeux, d'autres les seins ou les fesses. Moi, ce sont les chevilles.

François Truffaut disait que les jambes des femmes sont des compas qui arpentent le globe.

Traverser une journée sans toiser les chevilles des femmes est une journée sans émerveillement.

La lectrice s'esquive dans la foule qui se presse vers les sorties de l'aéroport.

Je veux lui courir après. Je ne sais dans quel corridor elle s'est faufilée. Je m'arrête pour glisser le livre dans mon sac et, en levant les yeux, j'aperçois Peter, mon beau-frère, qui sort des portes coulissantes. Il hèle un taxi.

Il devait être dans le même avion que moi. Je suis surpris de ne pas l'avoir remarqué avant. Je souris : le voilà après un hold-up vêtu en habit et cravate, ayant tout à fait l'air d'un homme d'affaires bien ordinaire.

Moi qui ai l'air d'un hurluberlu insomniaque, je me prends pour qui avec mon livre sur le sperme ?

13

T. ou M., choisissez !

Vivre avec T., c'est comme vivre dans un autre pays. Rien de pareil à M., sauf la couleur de l'argent.

— Est-ce que M. te manque ?

Il n'y a pas une journée qui passe sans que l'on me pose la question.

Depuis toutes ces années que je vis avec T., j'ai compris qu'il était fou de comparer l'une à l'autre.

Ce qui est rouge dans une ville est rouge dans l'autre.

Je suis né avec M. J'aime M., même s'il m'arrive de la détester. J'ai grandi et suis devenu un adulte avec M.

J'ai quitté M. pour me réfugier à T.

Ce qu'on gagne n'est jamais aussi beau que ce qu'on perd. Le présent est moins beau que le passé. Mais je ne veux pas parler du passé.

T. est ce qu'elle est : conservatrice, décadente, riche. On s'exclame souvent pour dire qu'elle a beaucoup changé. Il est vrai que j'ai moi-même noté cette transformation pour le mieux.

Si T. défait sa ceinture, elle ne laissera pas tomber ses pantalons. Elle est plus voyeuse qu'exhibitionniste. Elle demande tout, et ne dit jamais merci.

Il n'est pas vrai que T. est puritaine. Elle est ce que les sexologues appellent « pré-orgasmique », c'est-à-dire qu'elle est à quelques secondes d'atteindre la jouissance qu'elle n'a pas connue.

Elle est inconsciente de ses propres points sensibles.

T. a ses vertus.

Belle, grandiose, élégante, distinguée, T. est une grande métropole pluriculturelle. Le futur du pays ressemble plus à T. qu'à M., qui fait parfois assez provinciale.

T. aime prendre des allures d'homme d'affaires réservé. Ce que M. n'aime pas faire. M. est une ado qui a tout simplement refusé de grandir.

Il n'y a que T. qui t'invite, à trois heures du matin, après avoir couru la galipote, non pas à prendre un verre de cognac, mais à discuter de la meilleure façon d'investir ton argent.

T. séduit et s'offusque si tu acquiesces à ses avances.

T. bouge de manière à te laisser bouche bée. T. harcèle sans arrêt.

Quand T. invite les gens à un référendum, elle le fait en sachant pertinemment que les résultats seront sans conséquences. Si la majorité vote « oui » en masse, le résultat sera « non ».

M. se fend en deux pour plaire aux minorités.

T., dont les amoureux proviennent surtout des communautés culturelles, affiche sans vergogne son mépris pour l'étranger.

Elle parle quotidiennement plus de quatre-vingt-dix langues. Mais elle s'impose en anglais.

T. est la première à te souffler de la fumée au visage, même si elle te défend de fumer dans ses restaurants.

M. te regarde au fond des yeux. T. ne regarde personne dans les yeux. Et si elle te fixe, gare à toi : son regard est un appel au combat.

M. t'avertit avant de te marauder. T. prend tout, en t'envoyant son beau sourire hypocrite.

Le riche de l'une correspond au pauvre de l'autre.

Personne ne vit chez T. On ne fait que visiter T., pour ensuite se forger son trou jusqu'à la banlieue lointaine.

Tout le monde couche avec M.

Les gens à T. disent :

— Si tu veux du plaisir, prends l'avion et envole-toi vers M.

Les gens à M. disent :

— Tu veux devenir riche, va-t'en voir T.

Quand T. s'endort, M. s'habille pour aller danser.

Je dois à T. la femme que j'aime et notre fille, que je n'aurais pas eues si j'avais continué à vivre avec M.

Il ne faut jamais dire « jamais ».

14

Journée d'épiphanies. Montréal, ma ville natale. L'événement : la première de mon dernier film, *Antigone Pacifica.*

Pour quelle raison les organisateurs du Festival des films du monde ont-ils insisté pour que je participe à cette rencontre avec les médias, je ne le sais pas. Évidemment, la reine des muses m'en veut.

La salle de conférences est au premier étage d'un grand hôtel du centre ville. Je m'arrête, anxieux, au seuil de l'entrée pour contempler le va-et-vient des agents commerciaux de l'industrie du film. Partout, des femmes et des hommes à la valise noire guidés par le radar du succès. Tous courent à la poursuite du grand vendeur.

Les critiques sont des anthropologues qui creusent la terre avec l'espoir d'en tirer l'os magique qui les soulèvera de l'anonymat et fera d'eux des hommes et des femmes riches.

Adossé contre le mur, je me sens moins important que les os de la mouffette qu'une voiture frappe sur l'autoroute.

Il n'y a que quatre personnes dans la salle : Sandrine Turgeon, l'animatrice, qui ajuste les microphones ; une femme dans la trentaine, qui souligne avec un crayon feutre jaune quelques passages dans le programme du festival ; un étudiant noir, qui lit *On Writing* de Stephen King ; et, assis près d'une fenêtre dont les rideaux ont été tirés, Thomas.

Je suis ravi de le voir. Cela fait des années que nous ne nous sommes vus. Il a la tête plongée dans un quotidien plié en deux sur la chaise vide devant lui. Il ne lit pas, Thomas somnole, ce qui explique pourquoi il ne me regarde pas quand je m'assieds près de l'animatrice Sandrine Turgeon.

Elle éparpille ses feuilles de papier sur la table. J'éternue. Je lui dis que c'est un vrai plaisir de la revoir. Sandrine a déjà prêté sa voix pour la bande sonore d'un de mes documentaires.

— Faut vraiment que je reste ? L'air climatisé me dérange.

— Je ne peux rien faire pour l'air artificiel. On a aimé ton film.

— Du fond du théâtre, j'ai entendu quelques sifflements, dit Thomas en ouvrant les yeux.

Personne dans la salle ne réagit à son commentaire.

Sandrine s'incline vers moi :

— Ne t'en fais pas, ton film est magique.

— Merci. Plus magique qu'un mur de briques, j'espère ? je dis, en tirant la chaise plus près de la table, sous laquelle je dépose mon sac noir.

Thomas fait un signe de la main, m'indiquant qu'il me parlera plus tard, après la conférence.

Sandrine se redresse sur la chaise. Je lui dis que Thomas est un bon ami. Elle commence :

— Je voudrais remercier Fabrizio Notte de se joindre à nous ce matin pour commenter son dernier film. Il arrive à peine de Toronto.

Je remercie Sandrine qui, aussitôt, m'invite à bavarder sur la genèse du long-métrage. Je tente de décrire, sans trop de succès, l'origine de ce film sur Antigone. Il n'y a rien, selon moi, de plus ennuyant que de parler de mon travail. Quand je termine un film, je ne le regarde plus, je n'en parle à personne.

— Il m'a fallu beaucoup de temps pour terminer ce film. Mais ce que vous venez de voir est un essai. Ce n'est pas un film. Je tente de suivre la vie d'une femme d'affaires qui n'a pas eu trop de succès. C'est pas l'histoire d'un réfugié politique qu'un gouvernement raciste jette en prison. Ça, non. J'ai voulu évoquer la vie d'une femme qui passe la journée entière à parcourir une vingtaine de kilomètres de sa vie. Toute marche est symbolique et, à la fin, j'espère qu'elle se connaît un peu mieux. C'est une marche à l'amour, comme disait le poète Gaston Miron, une marche vers la conscience identitaire. Elle n'est d'aucun pays, ne possédant aucune langue maternelle, n'appartenant à aucun parti politique. Je demande aux spectateurs de l'Amérique du Nord de croire que le film est en italien. Pour les spectateurs de l'Europe, je veux que ce film soit en arabe ou en mandarin. Je veux que l'on se sente dépaysé dans son propre pays, afin de subir la sensation de déplacement que vit cette femme qui, n'ayant aucune branche sur laquelle se percher, tombe et se fracasse la vie.

J'entends un soupir d'exaspération commun dans la salle. Mon film ne ressemble guère à ce que je viens de décrire. Je le sais.

La femme, une critique, dresse à peine son index.

— Monsieur Notte, vous avez tort de manquer de confiance. Votre ironie camoufle à peine votre doute.

Personnellement j'aime ce film. Votre travail cinémato-graphique est le reflet de notre société. Que la critique parle si peu de votre travail est bien triste. Croyez-moi, on parle de vous dans les bars et les collèges. Les gens de la rue estiment votre œuvre.

La gentillesse de cette réplique me surprend.

Je lui dis que « œuvre » est un bien gros mot pour décrire mes deux ou trois griffonnages.

Le jeune étudiant se lève :

— Moi non plus je ne suis pas d'acccord avec votre sarcasme. Vous êtes trop négatif. Il n'y a personne dans ce pays qui ose exploiter le sujet du multiculturalisme comme vous le faites. Vos propos sont justes et incisifs. Vous dérangez, ce qui, selon moi, est un bon signe.

L'étudiant cherche une métaphore en regardant les rideaux ouverts de la fenêtre. Il pense, se gratte la tête, se retourne vers moi, grignant :

— Vous êtes comme un trompettiste qui ne cesse de parler contre la trompette. Au lieu de faire l'éloge de votre outil de travail, vous le méprisez. C'est inadmissible.

Je ris jaune. Je tends les yeux vers Sandrine qui pointe le micro.

— Vous avez raison. Je n'ai pas le droit de critiquer l'outil de travail qui me permet de m'exprimer. C'est de l'arrogance de ma part, et je ne veux pas être déloyal. Ce que je crois vouloir faire avec mes films, ce n'est pas à moi d'en juger. Je suis le pire juge de ce que je fais, même si j'essaie à tout moment d'être conscient de ce que je fais. Vous savez, il y a un acteur assez connu au Québec qui a refusé de jouer dans ce film. Je ne mentionne pas son nom, par politesse, pourtant j'en ai envie, seulement pour mettre un peu de piquant dans cette discussion sur la qualité. Il faut faire attention lorsqu'on ridiculise une personne connue en public, on ne sait jamais qui, dans la salle, est son frère ou sa sœur. Toutefois, ce grand acteur m'a dit qu'il aurait eu honte de prêter son corps à ce film. Il faut prendre un peu de recul face à son travail. Le cinéma n'est, après tout, qu'un outil : il n'est pas sans défauts ni limites. On peut ne pas aimer ce que fait Hollywood. On peut ne rien comprendre à ce qu'on fait en Inde. On doit tirer quelque chose d'authentique du pire des films.

— Fabrizio, tu crois que ton film peut aider à sauver cette ville ?

C'est Thomas qui intervient.

Tous font demi-tour pour le toiser.

Thomas avance à deux pas de la table où Sandrine et moi sommes assis. Il s'impose et paraît plus grand qu'il ne l'est en réalité. Un rictus tiraille son visage.

Fébrile, je sais où Thomas veut en venir. Je connais le langage de son corps, pour m'être disputé avec lui pendant des années.

Thomas tente d'interrompre mes pensées. J'esquive.

— Le cinéma, et pas seulement le cinéma, est une question de montage. Comment joindre les morceaux disparates dans un tout harmonieux ? Par l'agencement de plans, de scènes et de séquences qui n'avaient pas été créées pour être placées ensemble. Il faut savoir choisir – ce qui n'est pas toujours facile. C'est comme si on te demandait d'opter entre ton épouse et ta maîtresse. La décision est rarement prise aveuglément. Je tranche parfois sur le coup passionnément, quand aucune autre alternative ne paraît possible. D'autres fois, je trébuche sur la bonne piste par accident. L'important est de montrer la réalité le plus clairement possible. En tout temps, je dois être lucide. Je crois avoir atteint le but que je m'étais fixé.

— Je le sais, Fabrizio, ce n'est pas le moment de parler politique. Pourtant, en arrière-plan de ce film, il y a invariablement un peu de politique qui s'y cache. Personnellement, je n'ai pas du tout aimé *Antigone Pacifica*. C'est un film fade, uni-dimensionnel et franchement moralisateur. Tu veux nous enseigner quelque chose de grave, cependant on sort de ce film en colère, car on s'est fait avoir. Il n'y a rien de profond dans tes images. À la limite, on dirait que c'est du Hollywood *made in Canada*. Ce n'est pas du sirop d'érable, mais ça ressemble drôlement à la moutarde corsée bourrée de miel – comme on en vend maintenant un peu partout dans les épiceries ultramodernes à grand espace.

Ces paroles, pleines de méchanceté, me frappent comme un poing sur la gueule. Je suis époustouflé. J'ai envie de saisir Thomas par le collet et de le lancer contre le mur.

Je veux me retirer de cette salle de conférences et me cacher, pour ne pas devoir faire face à cet ami qui vient de violer la bienséance de ces rencontres, programmées plus pour passer le temps des artistes et des critiques que pour dévoiler leurs secrets intimes.

Nous sommes dans l'indiscrétion et le mauvais goût. Je ne veux pas me disputer en public pour quelque blessure infligée dans un autre contexte. Et blessure il y a.

Pourtant je croyais avoir résolu notre problème il y a de cela quelques années.

Visiblement, ce n'est pas le cas. Thomas m'en veut encore. Il cherche à régler nos différends, là, devant tout le monde, chose que je ne ferai certainement pas.

— Thomas, tes commentaires me troublent. Tu n'aimes pas mon film, d'accord. Pourquoi me manifester toute ton agressivité ici, devant la presse ?

Thomas grimace, comme il a le don de le faire lorsqu'il s'objecte à ce qui vient d'être dit.

— Allons prendre un verre, Thomas.

— Tu es devenu exactement comme je l'avais prédit à l'époque. Un arriviste. Tes films véhiculent des messages prévenants. Ils s'apparentent à des spots publicitaires. Tu t'es écouté ? Tu déconnes constamment. Tu te prends pour qui ?

Je suis surpris qu'il n'ait pas encore mentionné Ada, car c'était habituellement en compagnie d'Ada qu'il osait me démoraliser. Je ne cède pas à ses critiques.

Thomas n'est pas le plus gentil des amis. Sa froideur et ses crises existentielles frôlent quelques fois la moquerie. Je ne sais jamais quand il plaisante. Bon comédien, il joue fréquemment le drame.

Je me lève pour le serrer dans mes bras, question d'adoucir le mépris dans l'air. Mais il est déjà trop tard. Thomas se faufile vers la porte de sortie et disparaît.

La critique tousse. L'étudiant rouspète. Tous abominent la brutalité de Thomas.

Sandrine intervient pour calmer la situation :

— Une spectatrice est passée plus tôt pour te saluer. Comme tu n'y étais pas, elle m'a laissé sa carte de visite.

Sandrine tire la carte d'entre les feuilles du programme du festival et la positionne près du micro. *Marise Therrien, avocate.*

15

La dernière fois que je lui ai parlé c'était au début des années quatre-vingt, cela fait plus de vingt ans. Au verso de la carte, elle a écrit à l'encre rouge : *Je suis fière de toi.*

Je me suis toujours retenu de parler de Marise Therrien. Je ne sais pas pourquoi, il n'y a pas une journée qui passe sans que mon esprit ne s'envole vers elle.

Toutes les femmes que j'ai désirées, toutes les femmes que j'ai aimées, ressemblent chacune à leur façon à Marise.

Si j'ai désiré les femmes, si je les ai aimées, c'est qu'elles incarnaient un aspect, tant bien que mal, de cette femme que j'ai follement aimée, adolescent.

J'insiste pourtant : je ne dois absolument pas téléphoner à Marise. Est-ce une vague promesse que je ne dois pas prendre au sérieux ?

Marise est une paysanne urbaine née dans un champ de Saint-Hyacinthe. Elle est tout ce que je ne suis pas.

Mon entêtement contre la certitude demeure un mystère dont je ne cesse d'ennuyer mon thérapeute. Je conclus qu'un dieu unique, s'il existe, ne suffit pas pour appréhender la complexité des technologies humaines que nous sommes devenus.

Comment éclaircir par le spirituel notre insuffisance à saisir le sens de notre aveuglement ? Mieux vaut se moquer du jeune forcené qui se heurte aux vitres des portes qu'il ne voit pas. Le tout ne gèle plus dans mon esprit. Il m'arrive, la nuit, d'être tiraillé par une angoisse essentielle. Tout roule bien le jour. Une fois le soleil couché, d'innombrables afflictions sonnent en moi comme des réveille-matin. J'ai peur de mes fantômes.

Bien que ma chambre soit vide, loin de la chambre d'Ada et de celle de Rasa, je suis en sueur, cloîtré dans une mansarde que j'ai transformée en un délice artificiel vitré. Partout des fenêtres et des lucarnes, un puits de lumière qui ne s'éteint plus, le jour comme la nuit. Mais c'est la lumière de la nuit qui fait mal.

Depuis une quinzaine d'années la nuit m'effraie, moi qui était le raton laveur des bars. Je ne suis pas devenu pessimiste, je suis tenace, c'est-à-dire, je suis un pessimiste incorrigible qui rit tout le temps.

J'aime m'entourer de la présence de gens qui savent raconter leurs blagues. Je m'accommode de cette compagnie d'étrangers, aussi bien que de celle des compagnons de route pour ne pas être coincé dans un cul-de-sac.

Plusieurs personnes me jalousent parce que je peux me retirer des heures, solitaire, dans une fête, sans partager quoi que ce soit avec qui que ce soit. Que tous dansent à faire la fête, cela est mon plaisir. Je suis un homme heureux.

De toute évidence, c'est la raison pour laquelle j'ai choisi une profession qui me permet de rester en pyjamas, la journée entière, tôt le matin jusque tard le soir, cloué devant mes ordinateurs, à écrire ou à corriger les scénarios des collègues.

Néanmoins, l'angoisse règne, là, en moi, physiquement, comme une membrane métallique sur mon être.

La nuit, je m'éveille à cause d'un rêve où je m'empoigne avec l'autre que je suis, un face à face psychologique que je ne peux fuir.

Je me console en me chuchotant que je suis sans secret, un livre de poche ouvert dont le libraire a arraché la couverture pour la renvoyer à l'éditeur. Je suis le roman qui se vend mal, qu'aucun lecteur ne lira.

Je reconnais que je suis paradoxalement comblé, que j'ai une existence pleine, satisfaisante, et puis, il est aussi vrai que depuis quelques années je me fous royalement de ce métier d'artiste. Je peux aussi bien crever demain, sans pour autant affecter l'ordre du monde. Mon indifférence à moi-même est devenue ma caractéristique principale.

Les gens ne cessent de me rabâcher que je suis loin d'être ordinaire. Je ne comprends rien au monde.

16

Est-ce la raison pour laquelle je me marie et divorce tous les six ans ?

Nous vivons ensemble, Ada et moi, depuis près de dix ans maintenant.

Je me suis marié trois fois : Bianca, Trisa et Ada. J'ai le vertige rien qu'à penser à mes épouses.

J'oublie la plupart des doux et moins doux moments que j'ai inventés pour être passablement tranquille.

J'aime ces femmes qui ont bien voulu partager quelques mois avec un homme difficile à vivre.

Le mariage ne m'a jamais effrayé. Se marier est un contrat que certaines formes d'amour exigent. Soit on aime une copine, soit on la marie pour que cet amour soit sanctifié par la société.

Le mariage, en revanche, n'est pas une garantie de longévité. Tout au plus, il me fait penser à une bâtisse aux fenêtres et aux portes ouvertes. Tout mariage tire avantage des courants d'air.

Un matin, subitement, la vitre se brise et le corps décolle comme un colibri vert. Ce n'est la faute de personne si la porte de la cage est défoncée. Il ne sert à rien de jeter le blâme sur quiconque. Il ne sert à rien non plus de désapprouver et de reprocher à l'autre sa traîtrise. Il ne sert à rien de lui déchirer la figure ou de lui tirer les cheveux, on n'y peut rien, c'est le black-out amoureux. Il est temps de partir, temporairement, définitivement, pour un jour, pour toujours. Mieux vaut divorcer, quitte à se remarier une seconde fois, plus tard. La séparation est aussi inévitable que le mariage.

J'ai divorcé quatre fois. Trois fois avec Bianca : une fois devant le gouvernement du Canada, une seconde fois devant le gouvernement de l'Italie et une troisième fois devant le Pape.

J'ai voulu mettre un terme à cette histoire qui dura à peine six mois à la fin des années soixante-dix. L'inconvénient, c'est que cette passion m'a hanté pendant environ vingt ans. Et elle m'a coûté des milliers de dollars pour que je tue, une fois pour toutes, ce premier mariage.

Un jour d'été, les *carabinieri* vinrent cogner à la porte de chez ma tante à Lanciano, lorsque ma deuxième épouse Trisa, et moi, lui rendîmes visite.

— Qui est Bianca Lopez ? le *carabiniere* me questionna.

— Pourquoi ?

— Dans nos ordinateurs on signale que Bianca Lopez est votre épouse.

— C'est absurde. Nous sommes divorcés depuis vingt ans.

— Nous voulons bien vous croire, mais selon la loi italienne – et vous êtes, monsieur Notte, aussi un citoyen italien, n'est-ce pas ? – Bianca Lopez s'avère être votre épouse.

— Mon épouse ? Je suis marié avec Trisa O'Meara.

— Trisa O'Meara ?

— Mon épouse.

— Votre épouse ?

— Mon épouse, oui. Nous sommes venus ici célébrer notre lune de miel.

— Il y a un problème, monsieur Notte. Un problème assez grave. Vous êtes bigame.

Le *carabiniere* tira victorieusement sur sa moustache.

— Bigame ?

— Vous êtes marié à deux femmes simultanément, le *carabiniere* balbutia, en examinant la feuille de papier qu'il tenait dans ses mains. Vous êtes marié, à la fois, à Bianca Lopez et à Trisa O'Meara.

— Je vous dis que je suis divorcé légalement d'avec Bianca depuis 1980.

— En tant que citoyen canadien sans doute. Là n'est pas le problème. C'est en tant que citoyen italien que vous avez deux épouses, Bianca et Trisa. Monsieur Notte, vous êtes bigame, et puisque la bigamie est illégale en Italie, nous devons vous mettre en état d'arrestation.

— Arrestation ?

Le *carabiniere* m'expliqua alors comment faire pour remédier à cette « barbarie ». Ce fut le mot qu'il utilisa, « barbarie », exprès, d'ailleurs, pour rabaisser l'orgueil que je m'efforçais de vanter en me disant Italien du Canada, possédant une double citoyenneté.

— Toute citoyenneté suppose des responsabilités, et vous avez agi de façon irresponsable.

Il me laissa en liberté provisoire, dès que je lui eus promis de m'informer auprès d'un avocat.

— Vous devez, en tant que citoyen italien, redivorcer de Bianca, sinon vous ne pourriez plus venir en Europe, dit mon avocat italien.

L'avocat me stipula un prix d'ami et je lui signai un chèque sur mon compte à Montréal.

Il a fallu plus de six ans de va-et-vient par courrier avant que je n'obtienne finalement mon divorce à l'italienne.

Libre enfin, je peux désormais voyager en Europe. Je n'en suis pas fier, je ne m'en sens pas coupable non plus.

Le mariage est une partie intégrante de ma façon de vivre la relation homme-femme.

J'adore les femmes, et je pense que les femmes m'aiment aussi. Non, je ne souffre pas de donjuanisme : je suis plutôt honoré que l'amour ait frappé à ma porte plus d'une fois. Il y en a tant qui ne connaissent pas l'amour.

Quand ma troisième épouse, Ada, m'annonça qu'elle était enceinte, je lui promis d'entamer les démarches nécessaires pour annuler mon premier mariage devant le pape, non que je sois un catholique pratiquant, je ne l'ai jamais été, je voulais tout simplement me libérer de cette Bianca Lopez qui ne fut rien de plus qu'une lueur floue de mon passé.

J'espérais avoir une petite fille.

Il y a une odeur de décomposition et d'urine vieillie chez l'homme seul qui me répugne. Cette fétidité désagréable est absente chez la femme.

De plus loin que je me souvienne, la femme est celle qui m'a arraché de mon sommeil de mâle.

Souffrir d'insomnie me protège un peu des stupidités répandues chez les hommes distingués. Je suis un homme, point, et j'en suis content.

Nonobstant cette ânerie tautologique et mièvre – je suis un homme, bon, et puis ? – il est logique que je sois, moi aussi, affligé de ne pouvoir distinguer le vrai du faux.

Est-ce là la raison qui fait que j'ai impétueusement choisi la mauvaise compagne ?

S'il y a deux femmes dans une grande salle, je me pointe immanquablement vers celle qui me fera le plus grand tort.

17

Je marche dans un centre commercial souterrain du centre-ville, sans trop savoir quelle heure il est vraiment – midi ? Afin d'éviter d'être en retard, j'avance chacune de mes montres d'environ une demi-heure, les minutes variant selon le modèle de montre. Ce qui n'empêche pas que je sois continuellement en retard.

Le centre commercial est bondé. Sur les portes de plusieurs magasins on a collé des pancartes indiquant « de retour dans quinze minutes ». Comme je ne bois pas de café, je ne sais pas trop ce que je fais dans cette caverne de la modernité, sinon l'arpenter comme un lion impatient.

J'ai faim, je n'ai pas faim, à vrai dire, j'ai envie d'un délicieux martini. Je me convaincs qu'il est peut-être trop tôt pour boire quoi que ce soit, quand, subitement, au milieu de ce marchandage de l'auto-censure, un vieil homme, ayant un bec en cul de poule, se plante raide à quelques pas de moi. Il me salue.

Je hoche la tête respectueusement, il a l'âge d'un arrière grand-père auquel on doit le respect. Il me fait signe d'approcher, j'imagine qu'il doit être un ancien voisin, quelqu'un qui a habité dans le même quartier montréalais que moi, j'ai vécu tout de même quarante ans dans cette ville. Ce n'est pas le cas. Son visage ne me dit rien. C'est bien un étranger qui me fait des simagrées pour que je le suive.

Le badaud me lance un clin d'œil, et comme je ne bouge pas, il avance vers moi lentement, en lorgnant de gauche à droite un corridor dans lequel je pénètre sans trop savoir pourquoi, et, là, il s'installe devant moi, me disant :

— Aux toilettes, tu viens.

— Pour pisser, je réponds innocemment.

— Pour baiser, voyons donc.

L'homme ne sourit plus :

— Pour te faire sucer.

— Non, merci, je dis, ce n'est pas mon style.

— Tu n'as jamais essayé. Tu aimeras ça. Seuls les hommes savent sucer.

— Aux toilettes ? Personnellement, je préfère un lit.

— Je ne peux pas. Ma femme est chez moi.

— Votre femme ? Tiens... voilà une bonne idée.

Il n'a pas saisi la blague :

— Baiser votre épouse, vous tombez pile, j'aime les femmes âgées.

— Tu es fou.

— Je ne suis pas fou. J'aime les femmes âgées, c'est tout.

— Pourquoi es-tu dans ce corridor alors ? Qui attends-tu ?

— J'attends que le disquaire ouvre les portes de son magasin. J'ai besoin de disques compacts.

— Tu ne dragues pas ?

— Draguer ? Je n'aime pas les hommes.

— Et comme amants ?

76

— J'ai essayé quand j'étais jeune, je n'ai pas aimé ça. Je suis un gars à cyprine.

— N'essaie plus. Tu vas aimer ça. Tu finiras comme moi, à parcourir les centres d'achat pour parler aux beaux étrangers comme toi.

— *In bocca al lupo*. Dans la gueule du lion. Ça veut dire « bonne chance » en italien. Un plaisir de vous rencontrer. J'espère que je ne vous ai pas blessé.

Je lui prends gentiment l'épaule. Je sens sous mes doigts la fragilité de l'homme, son corps qui a l'air de vieillir à chaque seconde, devenant plus frêle qu'il me paraissait il y a quelques minutes de l'autre côté du corridor.

L'homme part.

La vitrine du disquaire affiche les nouveautés habituelles. Il n'y a toujours personne derrière le comptoir.

Une personne qui, de temps à autre, ne remet pas sa sexualité en question est à éviter. La sexualité, pas plus que l'identité, n'est coulée dans le roc. Je ne nais pas la personne que je suis, je la deviens.

Rien de plus effrayant que le fascisme sexuel.

Cette philosophie de dilettante m'a permis de traverser une bonne partie de mon existence sans trop d'accrocs. Autant de femmes que d'hommes se sont rapprochés de moi pour vendre leurs faveurs sexuelles.

Si j'ai quelquefois refusé une inconnue, c'était souvent à cause d'un sentiment bizarre de fidélité à moi-même. L'attiédissement moral passager peut demain me causer beaucoup d'ennuis. Je veux m'épargner des douleurs inutiles. Du genre : rencontrer une femme qui t'avoue avoir beaucoup aimé l'intimité partagée avec toi, et moi de répondre que nous n'avons jamais couché ensemble.

Cela ne signifie pas que ma conduite sexuelle est constante. Il m'arrive de regretter d'avoir décliné une invitation. Pour défendre une position prise hier, je me persuade qu'une telle situation aurait été inconvenante. Le refus n'est pas une question de qualité de la personne, mais plutôt de la pertinence des enjeux présents dans un contexte particulier.

Lorsqu'une bonne occasion se présente, ce qui m'arrive assez rarement, j'accepte sans arrière-pensée de plonger dans le merveilleux, puisque mon état d'esprit est favorable à cette aventure éphémère et passionnément sérieuse. La promesse d'une jouissance commune me ravit ; l'éventualité d'un plaisir à sens unique est assez pour me faire débander.

En ce qui concerne la sexualité avec un homme, mon humour m'a tiré plus d'une fois d'une attente on ne peut plus embarrassante. Il faut aimer le goût du sang et de l'ammoniac, ce qui n'est pas mon cas.

Le désaveu de ce qui est réel est à la base de nos traumas psychiques. Je préfère prendre la réalité par les cornes et la renverser sur la terre de la conscience. Je ne me retiens pas lorsqu'il est temps de parler, et je parle et ris fort aux mauvais moments.

On tente de me faire taire ou d'abréger mon rire. Impossible. Très vite, mon père m'a enseigné qu'une parole bien placée vaut un coup de poing. Mes ennemis, je les frappe à coups de langue. À coups de paroles bien placées.

Jeunes, nous prenions souvent, Thomas et moi, un raccourci à bicyclette à travers un champ abandonné, au nord de l'île, là où Saint-Léonard se situe maintenant. Un jour, nous croisâmes un homme qui s'est mis à se masturber aussitôt qu'il nous a vu venir.

— L'as-tu vu ? je m'écriai.

Thomas ne vit rien. Je ne l'ai pas cru.

Longtemps je me suis dit que cette histoire de perversion n'était qu'une invention de mon imagination, un fantasme dans mon inconscient. Comment se pouvait-il que Thomas n'ait pas vu cet exhibitionniste ? Cela me paraissait impossible : soit Thomas l'avait remarqué et m'avait menti pour effacer la vérité, soit il m'avait dit la vérité, n'ayant rien remarqué d'étrange dans le champ. Que croire ? Comment le croire ? La découverte, comme l'aveu, démoralise.

Je sors mon portable de mon sac.

Je retire la carte d'affaires de Marise de *Sperm Wars* où je l'avais placée soigneusement, tel un signet. Que peut-elle bien me vouloir après tant d'années ?

Je n'ai pas le courage de lui téléphoner.

Je reconnais l'existence de la bête qui sommeille en moi. Je sais qu'elle sautera de mon corps, affamée, si l'occasion se présente. Parfois, le lion en moi est tellement furieux que je n'arrive pas à le contenir.

Je ne compte plus les bêtises que j'ai commises. Il s'agit maintenant d'être un peu plus adroit avec ma passion.

Étrange que j'aie voulu subjuguer cette partie de ma préhistoire avec une moralité à quatre sous.

Combien d'imbécillités dois-je supporter avant de me révolter ?

Ce sac d'échecs est lourd, je n'en peux plus de le trimballer partout où je vais.

J'entre enfin chez le marchand de disques. Je me dirige vers l'arrière de la boutique où on a rangé les artistes rock dont le nom de famille commence par les lettres D jusqu'à K.

Je me redresse devant la dernière parution de King Crimson.

Robert Fripp.

Rare, une telle humilité chez un musicien aussi populaire. Civilité et respect du public, auxquels Fripp s'adonne à la merveille. Reste que Fripp est une marchandise marginale.

La vente d'un produit marginal est l'avenir de notre monde culturel. Nous sommes dorénavant tous des spécialistes — la spécialisation n'étant pas ici prise dans un sens péjoratif. C'est le genre de cinéaste que je rêve d'être. Libre. Indépendant. Contrôlant la vente de mes films.

Qu'est-ce que ça peut bien me faire qu'un homme aille se vendre sur Mars ? La précision de son tir ne sauvera nullement la planète. En tout cas, pas la Terre. Il faut savoir qui tire ta balle, car le capitalisme n'a plus belle gueule. Tu veux devenir un *nobody*, pas un artiste à succès.

Je m'assieds sur un tabouret au bar Boccaccio, de l'hôtel Bonaventure. J'y viens depuis les années soixante-dix. Personne ne m'accompagne dans cet hôtel pour boire un verre de vin, on ne trouve pas ça cool. Quelle sorte de personne fréquente ce genre d'établissement : salon pour touristes et gens d'affaires. Où est le tort ? Pourtant, les écrivains que j'admire ont passé une grande partie de leur vie dans les hôtels.

J'allume une cigarette. Je me sens pire qu'un tueur à gages, car je sais que la fumée de ma cigarette tuera éventuellement tous les clients de cet endroit. Je tire deux ou trois bouffées à fond avant d'écraser le mégot dans le cendrier.

— *You may smoke here*, le barman dit poliment, avec un accent français.

— Je me sens assez coupable, merci, je dis en français. Je vais m'en passer. Je fumerai dehors plus tard. S'il vous plaît, apportez-moi un sandwich au fromage et un verre de rouge.

Mon goût du tabac m'est venu à vingt-sept ans, au Mexique, lorsque j'y vivais avec Bianca. Il fallait bien faire quelque chose pour occuper le temps de non-activité qui s'intercalait entre deux journées affolantes d'énergie.

Je me suis plu à vivre dans cette ville monstre qui ne dort jamais. Le rythme ahurissant de la vie urbaine sans interruption. La vie vingt-cinq heures par jour, toujours et partout. Plus de vingt millions d'hommes et de femmes se bousculent sur les boulevards frénétiques de Mexico D.F. J'étais étourdi vingt-quatre heures sur vingt-quatre. J'étais une ombre affairée dans un Eldorado mouvementé. Tout à juste portée, tout à la bonne distance.

À vrai dire, j'ai commencé à prendre plaisir à fumer quand Bianca s'est amourachée d'Armando. En moins de quatre mois, je fumais plus d'un paquet par jour, c'est dire à quel point leur passion était devenue inquiétante. Il n'a fallu qu'un instant d'inattention pour que je perde Bianca.

C'était trop ridicule pour en pleurer, trop loufoque pour s'en fâcher. Je ne me lamente plus. Je ne crois pas avoir été trop déséquilibré par la séparation. Quand c'est terminé, c'est terminé. Je n'aime pas l'obsession, encore moins quémander de l'amour : comme nous pouvons être minables quand nous sommes prisonniers de nos sentiments.

Avoir vingt-cinq ans et vénérer Bianca, voilà le Mexique pour moi.

Aujourd'hui, j'ai quarante-huit ans et je vénère Ada.
Pour moi, c'est ça Toronto.

Entre ces deux pôles : il y a Trisa.

Je ne me suis pas noyé dans l'amour fou avec Trisa.
Notre amour raisonné aurait dû rester à l'étape de la camaraderie affectueuse. Nous avons abusé, tous les deux, de la séduction mutuelle qui, à la fin, est venue nous jouer un mauvais tour.

La colère dans un couple doit être maintenue à un niveau raisonnable, sinon on risque de chambarder la fondation même de sa passion. Trisa et moi avons tout parié, et nous avons, en conséquence, tout flambé.

Je les aime toutes : la femme extrême, celle qui n'a aucune particule d'homme chez elle ; la femme solide, celle qui possède à la fois les aspects féminins et masculins ; et la femme masculine qui n'a de féminin que le sexe. J'aime les femmes parce qu'elles ouvrent les yeux à l'homme fruste que je suis, impassible devant ce qui vibre autour de moi, mystères que je ne capte plus seul.

Que je sois au Mexique, dans les bras de Bianca, à Montréal avec Trisa, ou à Toronto avec Ada, j'ai l'impression d'être dans les bras d'une autre femme, celle qui est plus que la femme avec laquelle je vis. La plus-que-femme, disons.

Je suis, donc, un homme intrinsèquement infidèle. Je désire une femme qui n'est pas celle avec laquelle je suis. Qui est cette femme avec laquelle je dois être ?

Ces femmes sont toutes intimement liées par un fil fin et invisible. Je suis le seul à voir ce fil conducteur. Je n'arrive pas à le couper. On ne coupe pas ce qui ne peut se rompre.

18

Quelqu'un me tape sur l'épaule. C'est Thomas. À l'instant même, mon portable sonne. Je fais signe à Thomas de m'excuser.

Sandrine Turgeon me dit qu'elle ne me rejoindra pas, elle s'excuse de devoir misérablement rester clouée sur place, elle a des rendez-vous qu'elle ne peut remettre à demain. Je la remercie plusieurs fois pour sa gentillesse.

Sans le bonheur farouche de gens ouverts et inspirés comme Sandrine Turgeon, la vie serait morne ; rien ne les distrait du chemin de la réussite générale du plus grand nombre. Si elle n'avait pas été à la conférence, je serais parti.

Thomas s'assied sur le tabouret à ma droite.

— Je savais que je te trouverais ici.

— Ça fait plus de dix ans que je n'y ai pas mis les pieds.

— On n'apprend pas à un vieux singe à faire des grimaces. Je n'ai pas été très courtois tout à l'heure. Je ne m'en excuse pas, parce que je crois que ce que je t'ai dit est vrai. Cela dit, je me dois d'apprendre les bonnes manières.

Je lui rappelle qu'un soir en particulier, ayant avalé des capsules de LSD, il avait sorti de l'armoire la carabine de chasse de son père et l'avait pointée sur mon front.

Plaisantait-il ? Je n'en suis pas sûr. Chaque fois que je criais au secours il la baissait pour la caresser, et puis aussitôt que je me calmais, il la remontait à mon front. C'était le pire des *bad trips*. Grâce à Thomas, je n'ai plus fait de voyages psychédéliques. Je ne sais pas ce qui me prend, je suis enchanté de revoir Thomas. Je lui dis que des frissons de plaisir me secouent quand je pense que je parviens à vivre assez bien depuis quelque temps avec Ada. Ce n'est pas l'harmonie facile, j'admets avoir souvent échoué. Cependant, depuis des mois, je comprends un peu mieux ce que le pragmatisme d'Ada apporte à notre couple.

Je possédais, adolescent, une grande dose d'idéalisme qui, à force de transiger avec les autres, a fait place à la tangibilité des choses qui éteint l'onirisme et l'amertume.

Ada a le sang-froid dans les veines. Peu de gens excellent dans la fermeté d'esprit. Elle a déniché, de je ne sais où, la clé qui ouvre les portes de l'assouvissement et de la satiété.

Je suis comblé qu'Ada m'ait choisi, elle qui n'a nullement besoin d'homme dans sa vie. Son autosuffisance m'étonne. Mon cœur fait un bond toutes les fois qu'elle me demande comment je vais. Elle n'a pas besoin de mes connaissances, et donc si, le matin, elle m'enjôle pour un service quelconque, je m'allume comme un appareil ménager.

Nos échanges s'avèrent rarement aisés. Tout le calme peut s'effondrer en une seconde. Rien n'est plus fragile que l'utilité masculine. L'homme ne compte plus dans la vie de la femme, et s'il importe, c'est toujours de façon précaire.

Cet aveu ne se veut pas une défense de la femme au détriment de l'homme ; je serais fou braque de m'humilier en abaissant l'homme publiquement. Je suis pour la femme, je revendique l'affranchissement des femmes. Je plaisante quand je me qualifie de lesbienne. J'aime faire l'amour avec elle, c'est aussi simple que ça.

L'esclavage perdure dans tout domaine humain, y compris celui de l'émotivité. À force de vivre auprès d'Ada, l'émotion n'a plus grande résonnance en moi, même si elle me le reproche à maintes reprises.

Venant d'elle, cette condamnation me dépasse ; n'est-ce pas elle, ce docteur du corps, qui m'a enseigné que l'émotion est une fabrication de l'esprit, tel un téléphone portable ou les sujets transcendantaux ?

J'ai réussi à me méfier des larmes faciles. Je me protège des éclaboussures de mes états d'âme. La raison demeure, soutient Ada, l'unique mesure pour progresser d'un point à l'autre. La réprimande ne doit être ni hyper-émotive, ni flegmatique. L'équilibre parfait du jugement.

La seule échappatoire, c'est la présence, la conscience de soi, la décharge inéluctable du rire. Celui qui rit touche les marées oubliées de la foudre. Ada rit tout le temps.

Je suis jaloux des gens qui la font rire.

Thomas joue de la faculté du rire jaune sans difficulté.

Un été, Thomas s'était amouraché d'Ada, pour la dépanner, en quelque sorte, de la misère émotive que je lui avais fait avaler. Cet été-là, Ada et moi avions loué un chalet dans la baie Georgienne. La femme de Thomas venait tout juste de le laisser pour une infirmière, avec laquelle elle partageait le service de nuit.

Thomas était en morceaux. Il avait commencé à ingurgiter des *rhum and coke* à n'en plus finir.

Un jour, lorsque je l'avais croisé, à l'improviste, sur la rue Saint-Denis durant un court séjour à Montréal où je faisais du repérage pour un documentaire sur la mafia, il était méconnaissable. Il avait maigri d'au moins dix kilos, et il s'était laissé pousser la barbe. Lui qui abhorrait les habits et les cigares, était en smoking et fumait des cigares.

J'ai eu une envie de pleurer à le voir, assis dans un bar, un clochard qui vitupérait contre le monde entier pour tous ses malheurs. Il faisait pitié, malgré son apparence super chic : un businessman élégant et soûlard.

Je l'avais convaincu de venir passer quelques semaines au soleil avec Ada et moi. Rasa n'était pas née.

Thomas avait accepté.

Il avait pris un congé prolongé de son magasin de vêtements de marque pour homme – il est patron et homme à tout faire – et était venu s'installer au chalet.

Au fil des jours, il avait repris du poids – Ada est une cuisinière hors pair – et il s'était finalement décidé à se raser la barbe.

Il avait plié le smoking dans son sac de plastique et avait commencé à reporter des jeans. Durant les après-midi, pendant que je montais mon film sur les tueurs à gages, il tenait de longues conversations avec Ada, qui, aliénée par mon besoin de travailler, s'y prêtait volontiers.

De phrases en phrases, de paragraphes en paragraphes, de rires en rires, les mots se sont transfigurés en gestes, lesquels, à leur tour, se sont prolongés en caresses, jusqu'au moment où je les ai surpris dans le lit d'Ada. Elle était en train de lui faire une pipe, elle qui exècre la fellation.

Je ne me souviens plus qui a dit que l'épouse prend plaisir avec son amant à faire ce qu'elle dédaigne faire avec son mari. Il avait raison. Mon ébahissement était total.

Je bondis hors de la chambre, et allai me promener sur le bord de la mer, me tordant d'une douleur physique comparable à la souffrance que je ressentis, enfant, lorsqu'un bat de baseball me fracassa la tête.

Curieusement, je souffrais davantage dans mon corps que dans mon esprit. C'était comme si mon cœur se rebellait contre l'évidence. Seul mon corps supportait le poids de la blessure. En fin de compte, je revins sur mes pas et me mis à table pour manger avec Ada et Thomas sans faire aucune mention de ce qui venait de se produire.

Il aurait été inutile de protester, ou même de me lever pour casser la mâchoire de Thomas. Non pas parce que je n'en avais pas envie, il s'en serait fallu de peu pour que j'écrase mon poing sur son nez.

Je n'ai jamais su pourquoi je m'entêtais à me planter en plein milieu de la cuisine, à écouter *Bitches Brew* de Miles Davis, en tournant le volume de la chaîne stéréo au maximum pour étouffer les bruits qui montaient de la chambre d'Ada.

Et je restai muet longtemps, trop longtemps, jusqu'au jour où Ada mit Thomas à la porte. Elle me dit, comme ça, sans aucune mention de ce qui était advenu entre nous, qu'elle en avait assez de jouer au docteur.

Tout couple qui se défait est misérable. Le spécialiste conseille de ne pas glisser son doigt entre l'homme et la femme d'un couple en crise. C'est dommage, car cet avertissement cache l'autre côté de la médaille. Chacun a besoin d'une épaule pour pleurer.

Toute histoire d'amour finit selon un plan bien banal, prévisible. Le couple se sépare, l'un accourt vers l'ami de l'autre qui, souvent, décide d'aider cette moitié du couple plutôt que l'autre par désinvolture ou par nécessité. Quand la guerre éclate et que le tout se désunit, que reste-t-il à faire sinon embrasser l'ami venu sauver le couple du pire ?

Le problème commence quand la guerre s'achève et que le couple se réunit. Il faut maudire l'ami qui vous a lancé la ceinture de sauvetage.

À ce jour, ni Ada, ni Thomas, ni moi n'avons reparlé de cet incident. Nous reconnaissons le fait que les leçons d'amour ne peuvent s'emboîter dans les mots. Les émotions s'éprouvent, ne s'énoncent pas.

Thomas intervient :

— J'ai abandonné la course. J'ai vendu le magasin de vêtements. Comme les Italo-Américains disent au cinéma, on m'a fait une offre que je ne pouvais refuser. Le prix était bon. Me voici, chômeur cossu.

— Chanceux que tu es d'avoir tout ce temps de libre.

— Je me suis mis à faire de la peinture. Je griffonne avec de l'acrylique sur des grosses toiles. Ce n'est pas très bon. Ça m'amuse de me prendre pour un peintre.

— Tu n'as pas une once d'artiste en toi.

— Méchant.

Je prends une bouchée de mon sandwich. J'imagine mal Thomas avec ses mains d'ours en train d'étendre des couleurs sur une toile.

Thomas ne dit rien, ce qui me donne le temps de tremper le dernier morceau de pain sec et quelques frites dans la moutarde épicée.

Il continue :

— J'ai rencontré une femme extraordinaire.

— Une femme qui t'aime.

— Elle veut un enfant. Ça fait un an que nous essayons. En vain. Les spermogrammes indiquent que c'est de ma faute si ça ne prend pas.

— Tu devrais manger un peu. Tu commences à maigrir.

Thomas commande un steak tartare. Il lève son verre de blanc :

— Portons un toast à ton film.

— Merci. *Sangue e latte.* Sang et lait.

— Pas besoin de traduire. Assez avec ton baratin, ça fait plus d'un siècle que je te connais, Fabrizio Notte.

Il étire exagérément la prononciation italienne de mon nom. Je sens son amour pour moi dans sa voix.

— Santé et prospérité, il dit tout bonnement.

Il prend une gorgée de vin, me scrute un instant :

— Fabrizio, que dirais-tu de me vendre...

Il tire une cigarette de haschich de son veston de lin et me la refile :

— Il est bon.

Je bois mon vin en examinant le joint.

Je renifle le joint et le glisse dans mon paquet de cigarettes.

— Je disais... j'aurais besoin... d'un peu de ton... sperme.

Incapable d'avaler le vin dans ma bouche, j'en crache des gouttes dans mon assiette. Le gâchis est abominable. Je parviens tout de même à émettre quelques syllabes :

— Tu n'es pas sérieux.

Je l'observe, il m'inspecte, silence.

Il se gratte la tête.

— Oui, tu es sérieux, je dis, stupéfait.

— Nous avons tout essayé. Linda a un rendez-vous avec un agent chinois. Elle a entamé les démarches pour adopter un enfant. Le plan ne me convainc pas. Je souffre d'agoraphobie. Les grandes aventures m'épouvantent.

— Je suis honoré par l'offre. Tu sais comment est Ada, conservatrice jusqu'à la moelle. Elle n'acceptera pas.

— Même si ça vient de moi ?

— Surtout si ça vient de toi, Thomas. Elle a assez enduré votre histoire.

— Tu lui en parles.

Mon verre à la bouche, je pense à quelle phrase intelligente lui transmettre. Rien ne me vient à l'esprit. Il y a comme un trou noir dans ma tête, qui aspire toutes mes pensées.

Je ne veux plus être là, à parler avec Thomas de mon sperme.

Je descends du tabouret.

— Tu t'en vas ?

— C'est mieux ainsi, Thomas. J'ai la tête qui fourmille d'images éméchées.

Je paie les factures et prend Thomas dans mes bras.

— Je te dis merde. Tu le mérites. Je dois m'en aller, on m'attend au Festival.

Thomas se rassied devant son verre de blanc, un rictus sombre au visage.

Je sors de la pénombre du bar, ébranlé par la certitude que cet ami s'est moqué de moi.

19

J'étouffe dans la canicule du jour. Je ne veux surtout pas réintégrer le monde du cinéma.

Via col vento.

J'allume le joint sur le boulevard René-Lévesque, près de l'Université. Je tire deux bouffées de fumée, garde le reste pour plus tard.

Je ne sais plus où je suis, on a changé les noms des rues, les édifices laids et prétentieux demeurent les mêmes.

Venir à Montréal, c'est comme zieuter un album de fin d'année du secondaire.

Joie, mélancolie, corps de belles filles et visages de beaux garçons, bonheur, tristesse, l'espoir m'envahit en cette fin de mois d'août.

Il est environ treize heures.

Je hèle un taxi.

— *Tourist ?* me demande le conducteur.

— Non, j'ai pris un verre de vin de trop.

L'Haïtien derrière le volant rit :

— Bravo. Où allez-vous ?

— Même si je n'ai pas vécu sur le boulevard Saint-Laurent, la rue représente pour moi un sillon qui traverse mon existence de bord en bord.

— C'est Saint-Laurent, donc. De Saint-Antoine jusqu'à Gouin, ça vous va ?

— Oui. Vous m'excusez si je ne parle pas. Je n'ai pas la tête à la discussion.

— Il n'y a pas de quoi. Des fois je parcours l'île, d'une rive à l'autre, sans dire un mot aux clients. Ça nous arrive, nous aussi, les chauffeurs de taxi, de nous taire. J'éteins la radio, voilà.

— Ce n'est pas nécessaire, je dis.

Le doigt du conducteur a déjà pesé sur le bouton de la radio. On n'entend plus que le ronronnement du moteur de cette vieille américaine qui toussote au feu rouge.

Ni le secondaire que j'ai fréquenté, ni le milieu paternel ne font partie de l'« aventure Saint-Laurent », et pourtant il n'existe aucune rue comme celle-ci qui allume en moi l'étincelle de cette mémoire qui vieillit de plus en plus.

Saint-Laurent est une artère qui divise la ville de Montréal en deux.

Je me souviens d'une lecture de poésie des années soixante-dix où des poètes anglophones et francophones avaient été invités à lire leurs écrits.

Ce soir-là, lorsqu'on m'a demandé de lire à mon tour – ayant publié une plaquette de rimes – j'ai voulu souligner le fait que j'étais le seul Italien invité et, ainsi, ne faisant partie d'aucun des deux groupes linguistiques officiellement présents, je me suis placé sous le cadre d'une porte qui séparait la salle en deux, afin de démontrer comment il me paraissait essentiel de voir dans l'*autre* un symbole de différence qui est, en réalité, la synthèse des conflits culturels qui déchirent violemment notre pays.

Si Montréal est intéressante, c'est parce qu'elle possède une rue qui s'appelle Saint-Laurent. Qui était saint Laurent ? Aucune mention ne figure dans les dictionnaires que j'ai consultés. L'unique saint Laurent dont on parle dans les livres d'histoire est l'homme politique, né en 1882 et décédé en 1973. Évidemment, il ne s'agit pas de ce premier ministre qui serait aux origines de ce magnifique boulevard.

Comme toutes origines, la source est trop complexe pour la réduire à une description simpliste. Ce qui compte est comment ce boulevard se constitue en onze sections émotives.

La première section, que je nomme *La Vieille*, part du fleuve Saint-Laurent et se termine à Saint-Antoine (jadis nommé Craig) : c'est là où, dans les années soixante, on retrouvait, avant la construction de l'autoroute Ville-Marie, les *pawnshops*. On allait y acheter sa première caméra ou une nouvelle guitare. Il ne reste plus de ces magasins que l'ombre de l'adolescent en chacun de nous. Aujourd'hui, c'est chez Steve's que je me suis procuré ma Gibson Lucille (signée B. B. King).

Dans un de mes cartables, j'ai une photo de Marise, debout devant le squelette en béton qui allait se transformer en palais de justice.

La deuxième section du boulevard Saint-Laurent part de Viger et se termine au boulevard René-Lévesque. C'est le site de Chinatown.

Même s'il est beaucoup moins étendu que le Chinatown de Toronto ou de New York, il demeure tout de même un lieu sacré. Je mangeais une fois par semaine, seul ou avec des amis, au Crystal Saigon, au Hong Kong ou bien au Hun Dao.

Entre René-Lévesque et de Maisonneuve, on tombe sur la troisième section que j'appelle *La zona rossa.* Y va qui veut se payer ce qu'on n'admet pas trop ouvertement en public. Plus au nord, entre de Maisonneuve et Sherbrooke il y a *Little India* : ceux et celles qui cherchent à épargner quelques sous seront ravis des prix de la marchandise qu'on y vend. *Little India* fut, avant tout, le théâtre de La Licorne, où j'ai assisté aux représentations des premières pièces de Marco Micone, premier dramaturge italien du pays. C'est aussi la librairie Las Americas, l'endroit où on peut acheter un roman de l'auteure mexicaine Mónica Lavín en espagnol.

Rue Saint-Norbert restera gravée dans la mémoire des femmes et des hommes qui se sont battus contre la démolition des immeubles historiques qui longeaient cette petite rue magique.

Ensuite on rencontre Saint-Laurent *La Hip.* De Sherbrooke jusqu'à Rachel chacun et chacune y tire plaisir à oublier ses soucis quotidiens.

L'ancien cinéma Élysée, rue Milton, demeure un point de repère ; c'est là que Patrick Straram, le bison ravi, présentait les meilleurs films des années soixante. Je n'ai pas remis les pieds sur ce petit bout de rue depuis de bonnes années. L'Élysée n'existe plus.

L'éditeur anarchiste Dimitri Roussopoulos me persuade d'installer mon bureau près de la rue Prince Arthur. Selon Dimitri, je représente le pluriculturalisme du boulevard Saint-Laurent par excellence. Je signe un bail de trois ans pour un studio dans le bâtiment Balfour, pour notre maison de production.

Durant cette période, je n'ai cessé d'apprendre à bien manger : il y a Luna, Bonna Notte, le Shed et la

Caféteria, sinon je commandais un *pannino* chez Montenegro, Hoffner ou Fattouch. Le petit carrefour m'a enseigné qu'un repas léger pouvait être autre chose qu'un hot-dog steamé.

La *Hip* possède également son côté intello. Les librairies L'Androgyne (pour la littérature gay et lesbienne) et Gallimard (pour son fonds complet) offrent une sélection de livres qu'on ne trouve pas facilement chez d'autres libraires.

N'oublions pas Le cinéma Parallèle, qui grossira pour devenir l'Ex-Centris. Une année, Claude Chamberland a présenté l'intégrale du génial Cassavetes, mon préféré.

Au nord de l'avenue des Pins, nous entrons dans le cœur du quartier juif. Il y a, rue Roy, Warshaw la poissonnerie qui, me dit-on, n'est plus ce qu'elle était. Peut-être. C'est là que j'achetais mes calmars, à l'époque où je mangeais de la chair. Une chose est certaine : mangeurs de viande, ne ratez pas Schwartz. On y sert un *smoked meat* qu'on ne prépare nulle part ailleurs.

Si on s'assied face à la vitrine on aperçoit L. Berson & Fils, fabricant de monuments funéraires pour les tombeaux juifs.

À ne pas manquer Moshé's, pour son choix de repas casher à son meilleur. Dimitri m'y invita un soir pour l'écouter louanger la magnifique *Main* : « Si tu préfères le poisson, il faut aller dîner chez le Portuguais d'à côté. Et si tu aimes le blues, il y a Luther Johnson qui passe au Bar G Sharp. »

En fait, je m'y étais rendu, l'hiver dernier, pour écouter ce musicien colossal jouer si généreusement de sa Strat, jusqu'aux petites heures de la nuit. Après le spectacle, j'étais allé le prier de signer son CD. Il ne savait pas écrire. Il traça deux XX au bas de sa photo.

Suivent les sections *L'indécise* et *L'intermédiaire*, entre Rachel et Van Horne.

La rue Marie-Anne a été rendue célèbre par Leonard Cohen et, au nord-ouest, Beauty's, où le matin on voit des dizaines de personnes qui attendent patiemment en ligne pour leur petit déjeuner. Maintes fois j'y suis allé avec Thomas pour bavarder de nos amours.

Par contre, voir l'ancienne Banque de Montréal, près de Mont-Royal, à la façade si glorieuse, à peu près en ruines, me chagrine. D'autant plus que son sort est en péril.

Jeune rêveur, je m'asseyais sous ses grands piliers pour séduire une étrangère rencontrée dans un petit café aux poètes aujourd'hui disparu.

Juste au sud de Laurier, cette *bellissima* église du Saint-Enfant Jésus avec ces arches à l'italienne.

À l'angle de Laurier et Saint-Laurent, une caserne de pompiers qui fut jadis l'hôtel de ville de l'ancienne ville de Saint-Louis que la Ville de Montréal annexa en 1906.

À quelques pas, le Lux (qui n'est plus) représentait, selon moi, un des plus fascinants lieux de ce bout de chemin qui laisse un peu froid, parce qu'on y perçoit une croissance ethnique qui n'a pas encore atteint son éclosion naturelle.

Bientôt on se rapproche du vrai centre qui, entre Van Horne et Jean-Talon, me tient à cœur – *Little Italy*, la Petite Italie.

Comment réduire cette huitième section du boulevard Saint-Laurent à quelques lignes ?

Je suis comblé de voir que les enfants des immigrants ont su transformer les pauvres bâtisses de leurs parents en un lieu vibrant de jeunesse.

Le Caffè Italia et Milano sont ceux que les non-Italiens connaissent le plus. Ceux qui m'y attirent aujourd'hui sont le Caffè internazionale (ah, tiens, ç'a changé de nom), Cinecittà (lui aussi, disparu), la Libreria italiana, Dai Baffone (sur Dante) et le Tre Marie (sur Mozart).

Vous ne connaissez pas *la piccola Italia* si vous n'entrez pas là où j'ai été baptisé – à la Madonna della Difesa – là où le *fasco* Mussolini est assis sur son cheval brun. C'est une honte ethnique.

Une statue de Dante a été érigée à l'extérieur pour faire oublier la petitesse du nationalisme italien.

La neuvième section se résume au parc Jarry. Le pape Jean-Paul II y est allé sans doute pour voir une bonne partie de foot amateur. J'y ai moi-même joué plusieurs matchs durant les années quatre-vingt ! Non, le pape n'était pas présent.

Au nord de Jarry, rue Liège, j'ai travaillé plusieurs étés dans une manufacture de tissus. C'est là, suivant les conseils du gérant monsieur Oronoff, que j'ai écrit mes premiers poèmes. Combien de conversations sur l'écriture avec cet homme modeste qui s'y connaissait en poésie. Je lui dois tellement à ce maître qui a su être patient avec l'adolescent révolté et mauvais ouvrier que j'étais.

La Métropolitaine, autoroute surélevée, entre Crémazie et Fleury, tranche la ville en deux, le sud du nord. Mes parents y ont résidé un an, avant de se marier, dans les années cinquante, avant la naissance de ma sœur et moi, à quelques pas, rue Saint-Hubert.

On franchit la zone industrielle que je nomme *La Fabrique*. Cette dixième section du boulevard Saint-Laurent est celle que je connais le plus, puisque ma mère a travaillé de longues années dans une de ces manufactures de tissus avant de prendre sa retraite en 1981.

Le dimanche, après le repas familial, mon père m'amenait au cinéma Rivoli, où l'on projetait des films en italien, pour voir les œuvres du grand comédien Totò. Il faudrait bien, un jour, qu'on présente en français les films de ce génie napolitain.

Finalement, on débouche sur Saint-Laurent *La Tranquille*. De toutes les rues de Montréal, c'est Gouin que j'aime le plus. Elle longe la rivière des Prairies, le seul endroit à Montréal où on sent que cette ville est une île.

La rive sud a été complètement détruite par le commerce, tandis que la côte nord de l'île, parce qu'elle appartient à des individus, a conservé sa gloire naturelle.

J'ai été invité, un samedi après-midi, à un mariage juif qu'on célébrait près de la rivière. C'était comme si nous nous étions trouvés dans une autre ville. À force d'écouter le rabbin prononcer son sermon en plein air, nous avions l'impression que la végétation ardente irradiait sur la rive silencieuse.

Je demande au conducteur du taxi de s'arrêter. Je paie. Je marche vers la rive.

La rivière des Prairies n'est pas l'Adriatique ni la Californie. C'est tout petit et intime.

Je m'assieds sur un banc devant la rivière et fume cette cigarette que je n'ai pu terminer au Boccaccio.

Les années passent et décidément le nom des rues change.

J'ai besoin de solidité dans ce vaste terrain mouvant qu'est la mémoire.

20

Mon portable sonne.

— Fabrizio ! C'est Marise. Sandrine Turgeon m'a donné ton numéro. Tu n'allais pas me téléphoner. Moi, je ne pouvais pas attendre. Il faut que je te parle.

— Je suis débordé.

— Où es-tu ?

— Je ne sais pas trop. Un montréalais qui ne se rappelle plus le nom des rues, ça doit être rarissime. Il y avait un temps où je pouvais conduire à travers cette ville les yeux fermés.

— Tu dois me pardonner, je n'ai pu me libérer de mon job, fallait rafistoler un contrat avant midi. Nous nous voyons plus tard.

— Je prends le dernier avion destination Toronto.

— Libère-toi, s'il te plaît.

— Je dois rentrer. Je prépare un film.

— Je vais me jeter du pont Jacques-Cartier.

— Ton mari t'a laissée pour une jeune de trente ans ?

— Elle a vingt-deux ans.

— Va, ne t'en fais pas. Prends des vacances. Pars en voyage.

— Tu te souviens, tu m'as dit qu'il fallait souffrir pour être un artiste. Ces paroles m'avaient estomaquée. Je vais attendre ton appel.

— Marise, je ne peux pas.

Je veux m'écrier : « Je n'ai rien de quoi me plaindre. Je suis calme, mon mariage survit, j'aime ma compagne, elle m'aime, nous avons un enfant sorti du centre de la terre, et puis, oui, j'ai une grosse voiture, une belle maison. Comme tu vois, je suis un gars bien ordinaire. Les vagues de la rivière m'hypnotisent ; je suis en transe, on m'a mis un bâillon entre les mâchoires. »

— Je t'attendrai à dix-huit heures, chez Baffoni, elle dit avec dépit.

Je voudrais chanter, comme dans une comédie musicale : « d'accord », ou « merci », ou « c'est mon devoir de t'aimer », ou « je ne ferai plus des films idiots ».

Marise, tu te souviens de *Faces* de John Cassavetes ? De Godard, Bergman, Fellini, Olmi ? Ce sont mes dieux à présent. On ne peut pas être tous des dieux. Je fais partie des bûchers qui ne font pas grand'chose, qui le font avec amour et sincérité.

Rien que des bêtises prosaïques. Certains sentiments ne se traduisent pas.

Marise raccroche.

J'appuie sur le bouton *end*.

Fin.

Marise Therrien. La première femme que j'ai aimée, que j'ai aimée comme je n'aimerai plus. La revoir, peut-être même oser lui toucher la main, comme par accident, est encore possible.

Je passe la main sur mon front jusqu'aux cheveux. Est-ce la chaleur ? le froid ? Je n'arrive plus à distinguer le chaud du froid. La douleur, le plaisir ont une intensité commune.

Je tremble en m'imaginant ses cheveux châtains coupés comme ceux d'un garçon quand, en 1968, la mode était aux cheveux longs et frisés.

Disciplinée, intelligente, sportive, travailleuse, elle avait besoin de spectateurs pour se sentir vivante, et pourtant elle n'appelait personne.

Elle détestait la solitude, ne pouvant rester seule avec son ombre plus de quinze minutes. Elle avait horreur de la souffrance.

Elle riait calmement, refusant de pleurer en public.

S'est-elle déjà laissée aller dans le privé ?

La superficialité était une profondeur chez elle. Plus Marise jouait à l'idiote, plus elle se montrait intelligente et perspicace.

Le fait d'être son premier ami de cœur avait pour contrepartie son refus systématique que je devienne son premier amant. Elle avait gardé cette délectation pour un Parisien qui, m'avoua-t-elle plus tard, n'avait pas su apprécier les secrets sucrés de son corps de vierge.

Cette résolution me fendit le cœur.

Suite à cette blessure, je me dissuadai d'accepter de devenir le premier amant de toute femme ultérieure.

Que je n'aie pas été élu par Marise tient à la fois du cynisme, que l'amour dévoue aux néophytes qui se font la cour sans succès, et de la méchanceté, que seule une personne qui en aime une autre peut concevoir.

Quelques années plus tard, à la fin d'un été dont la chaleur avait été brutale, longtemps après que Marise eut savouré les fruits amers de ses escapades avec son « mirobolant » Parisien, je l'invitais à passer chez mes parents qui, ce soir-là, étaient allés danser.

Cette première soirée d'amour ne comporta rien de fabuleux, chacun aspirant le fantasme charnel égoïste éprouvé avec un amant précédent.

Nous nous sommes réveillés de l'étreinte tant souhaitée bien déçus : Marise, de plus en plus en proie aux méfiances illégitimes, provenant principalement du rejet de nos différences culturelles, et moi, davantage obsédé par cet amour non partagé.

J'aurais tout donné pour vivre avec Marise.

Une des dernières fois que nous nous sommes revus, nous avions trente ans, et habitions, comme par hasard, dans le bas Westmount, dans des immeubles d'appartements, l'un face à l'autre. Je venais tout juste de divorcer de Bianca.

Encore une fois, au lieu de m'élire, Marise avait rencontré un grand maigre, convenablement gentil, curieux des choses de l'intellect, et mou.

Elle avait décidé, dès la première sortie, qu'il serait le père de son enfant.

Je l'ai priée, à plusieurs reprises, avec une discrétion minutieuse. J'avais même quémandé pour qu'elle laisse tomber l'échalote avec laquelle elle vivait, et vienne vivre avec moi.

Marise ne m'aimait pas de cette façon-là.

Nous étions montés, selon moi, descendus, selon Marise, au grade de l'amitié pure et simple.

Elle me confessait qu'elle ne m'avait pas vraiment aimé.

Si, la première fois, à quatorze ans, ses yeux se sont arrêtés un instant sur moi, ce n'était qu'une gageure : elle voulait m'enlever à sa voisine et copine, Virginie, une jeune fille avec laquelle je sortais, dont j'avais fait la connaissance avant Marise, et qui, en 1990, allait se suicider.

L'égoïsme est un sentiment mesquin qui oblige les gens à agir de façon irrationnelle. En parfaite insensible, Marise s'était comportée avec muflerie.

La vraie question, pourtant, après tant d'années, demeure sans réponse : lequel de nous deux aurait agi de la manière la plus ingrate ?

Marise, qui m'avait conquis pour des fins bassement personnelles ? Ou moi, qui avais cru à un renversement d'un amour à sens unique ?

Marise n'était pas restée fidèle à sa première impulsion qui, en la revoyant, pour la dernière fois, à la projection d'un de mes films, n'avait que peu à voir avec l'amour ou la sexualité. Si cela était le cas, et si elle avait, imaginons un instant, gagné son pari avec elle-même, elle m'aurait laissé tomber la première soirée que nous avions passée ensemble, là, au coin de la Quinzième Avenue et Villeray, à Saint-Michel, comme le papier du chewing-gum qu'elle s'était glissé dans la bouche après notre premier baiser.

Ce n'était pas le cas, je suis prêt à en mettre ma main au feu.

Voulait-elle vraiment me quitter ce premier soir ? Je me refuse à la croire. Si cela était le cas, étais-je donc coupable de l'avoir retenue à mes côtés, pour environ une année et demie, avec mon chantage d'homme blessé, contre son gré ? Serais-je ainsi le vrai monstre qui me hante la nuit dans mes cauchemars ? Marise, serait-elle alors restée par pitié ?

Lorsque, ce premier soir, nos lèvres se sont décollées et que nous avons chuchoté « bonne nuit », je n'avais remarqué aucun signe de dégoût, aucun adieu dans sa bouche.

Impossible que je me sois entêté à marcher à ses côtés, si elle avait clairement exprimé de l'indifférence pour ma personne. J'étais aveuglé par l'amour, mais je n'étais pas autodestructeur.

Non, en Marise sommeillait un besoin de soutien qui allait bien au-delà de la camaraderie que livre l'amour juvénile. J'avais décelé une exigence affective chez elle très tôt, à quatorze ans, et plus tard aussi, lorsqu'elle avait vingt ans. À trente ans, elle ne répondait plus à mes appels.

Il m'avait pris, un soir, une envie folle de la prendre par les bras et de la secouer violemment, non pas pour lui faire mal, mais pour lui faire comprendre que le support qu'elle cherchait partout était là, devant elle. Peu m'importait que ma colère la chagrinât.

De ne pas avoir été choisi... voilà la source de mes tourments.

Terre, qu'elle était belle.

Marise s'était mariée deux fois. Pas avec son grand maigrichon qui est devenu, en revanche, le papa de sa première fille.

Non, je n'ai plus le droit de l'aimer. Non pas parce que je suis indigne de son amour, je mérite son amour au même titre que les hommes qu'elle avait choisis, je le sais, mais parce que je ne peux aimer indéfiniment une femme qui ne m'a pas choisi.

Peu importe ce que je fais, ce que je lui donne, au bout du compte, elle ne m'aimera pas. On ne peut forcer un cœur qui ne veut pas aimer.

Je ne suis pas fier de l'admettre, cependant, cet après-midi, un gnome méchant en moi ricane.

Sans doute, pour la première fois de sa vie, Marise éprouve, elle aussi, une peine d'amour véritable.

Comme celle que j'ai subie, comme celle que des milliers d'amants tristes ont tolérée, Marise a rendez-vous avec l'angoisse de l'amour non réciproque.

Elle souffre parce qu'elle aime un homme qui ne l'aime pas, elle souffre parce qu'elle sait qu'elle continuera à aimer cet homme qui ne l'aimera jamais, elle souffre parce qu'elle fait partie du clan des victimes de l'amour non partagé.

Être secoués brutalement, hucher notre douleur : nous savons tous que nous aimerons jusqu'à notre mort des gens qui, de leur côté, ne nous aimeront jamais.

Tout mon corps est braqué sur cette évidence.

Je hèle un taxi.

— Rue Anne-Berger, s'il vous plaît, c'est tout près d'Armand Bombardier et Maurice Duplessis.

21

Lina arrive à Montréal en 1952, sous le soleil brûlant du mois d'août. Guido est à la gare centrale et, en dépit des douze mois d'absence, repère l'aimée aussitôt qu'elle débarque du train. Parmi une foule entassée et les bagages, Lina se détache au milieu des vapeurs des trains stationnés à la gare. Guido se presse pour la rejoindre. Les amoureux s'immobilisent l'un devant l'autre, se fixant sans se parler. Lina plie les genoux et pose ses deux valises par terre, ne quittant pas des yeux l'homme pour lequel elle a renié toute sa famille.

En bon Italien, je peux dire sans gêne que ma mère est une femme exceptionnelle. Elle s'est battue pour vivre avec l'homme qu'elle aimait. Elle a tout quitté, sa famille, sa sécurité et son pays, elle a été bannie par ses frères et sa sœur, afin de rejoindre l'objet de la flamme qui brûlait dans son cœur.

L'existence paysanne de l'après-guerre n'était pas propice au concubinage, ce qui n'a pas empêché cette jeune fille de vingt-trois ans de se lier à un homme que sa famille méprisait pour son indépendance féroce.

Le dédain était réciproque : la famille de Guido haïssait la famille de Lina. Roméo et Juliette contemporains, quoi.

Un garçon et une fille s'obstinent à nager à contre-courant, et, après cinquante ans de vie commune, ils se vénèrent toujours.

Évidemment, il y a eu des hauts et des bas. Avec le temps, cet amour a témoigné au monde entier qu'il est possible de vivre un amour à deux sens.

Les gens comprennent mal comment un amour aussi stable que le leur ait produit un enfant aussi instable. Qui l'aurait cru ? Parce qu'ils n'avaient rien à perdre, ils ont tout gagné. Il faut tout perdre pour tout gagner.

L'équilibre, ils l'ont façonné sans aide, de jour en jour, afin qu'ils puissent, aujourd'hui, se reposer tranquillement, grâce aussi, disons-le, à un bon programme de retraite. Ils jouissent enfin des fruits ramassés pendant des journées atroces à suer dans des usines de textiles et des fabriques de fer.

Chose étonnante, ni mon père, ni ma mère, ne se plaignent de l'exploitation quotidienne.

Lina dit d'un ton philosophique :

— Il faut savoir marcher la tête haute, et ne pas te buter contre les brindilles sur ton chemin, sinon tu n'arriveras pas à ta destination.

— L'Italie ne vous manque pas ? je dis.

Mon père répond en français :

— Manquer quoi ? Les abus des riches propriétaires terriens ? Je n'ai pas voulu être opprimé par un autre Italien.

— Alors, pourquoi n'avez-vous pas fait la requête de votre citoyenneté canadienne ?

La question n'est pas naïve. Si j'ai droit à ma citoyenneté italienne, c'est qu'ils ont choisi de rester citoyens italiens.

Mon père continue en italien :

— Je suis né italien, je mourrai italien. Qui je suis n'a rien à voir avec le pays où je vis. Je remercie le Canada de sa générosité, de nous avoir donné toute cette bonté. C'est ici que je veux être enterré. Je n'ai pas à changer de peau pour ça. Le respect d'autrui dépend de la dignité de soi. Si tu perds ta dignité, tu perds tout.

Ma mère est ravie de me voir derrière la porte d'aluminium. Elle tend le cou pour que je pose des bécots sur ses joues. Mon père s'essuie les lèvres et place la serviette sur la table, il vient nous rejoindre dans le couloir.

— As-tu mangé ? il dit, en me serrant la main.

— Tu voyages tout le temps ! ma mère s'exclame. Ada ne doit pas trop apprécier.

— On m'a invité à projeter mon dernier film.

— Assis-toi, dit ma mère, mange avec nous. Ce n'est pas grand'chose : une salade de tomates du jardin, des piments forts frits, du provolone et du pain.

Je m'assieds à table. Ma mère m'apporte des ustensiles, une assiette et un verre à vin dans lequel mon père me verse un peu de vin blanc maison.

— Dis-moi ce que tu en penses ? C'est la cuvée de cette année.

Le vin est à la fois résineux et légèrement amer, et je dis :

— Il fait penser au retzina grec, très bon.

— Que veux-tu, je viens du Sud de l'Italie. Je crois que c'est la dernière fois que je fais du vin. Nous ne buvons qu'un verre par jour, au repas du midi. Avec mon diabète, je n'en bois presque plus.

Mon père est diabétique depuis l'âge de soixante ans. Avec le temps, son régime lui a fait perdre du poids ; il ne ressemble plus à l'homme costaud qu'il était. Il mange peu, insiste pour manger à heures fixes, sinon il ressent une faiblesse assommante qui le met hors de lui-même. Mon père se flatte d'être une personne qui reste en contact avec son corps. Il parle comme s'il avait suivi des cours de yoga, ce qui n'est pas le cas.

— Fabrizio, il faut faire attention à ton corps, sinon en vieillissant tu payeras la facture. Tu parais bien, en santé. N'oublie pas : tant que ton ventre ne cache pas ton pénis quand tu pisses, tout va bien.

— Tu as le sourire aux lèvres, ma mère ajoute, les choses marchent ?

— Ça marche. À part certains critiques qui n'ont pas aimé mon dernier film. Personne n'en parle, et selon moi ce silence est indicatif du mépris de la presse. J'en suis désemparé. Thomas le déteste. Au moins, il a été honnête avec moi. Je préfère que la critique dise ce qu'elle pense de ce que je fais. Même si on en parlait ouvertement en mal dans les journaux, au moins on en parlerait. Les médias n'ont pas envie d'attacher trop d'importance à des produits indépendants ; ils mettent tout le système sens dessus dessous.

— Fais ce que dois, ma mère dit.

Le soleil entre par les portes à coulisse et frappe les verres de vin. Les piments sont très piquants, je m'essuie le front.

La brise caresse les cheveux gris de ma mère qui a, du jour au lendemain, décidé de ne plus les teindre.

— J'aime les reflets bleutés de vos cheveux, je dis.

— Je reviens de chez la coiffeuse. Tu aimes ma nouvelle coupe ?

— J'aime les cheveux courts chez les femmes.

— Toi aussi tu t'es coupé les cheveux, mon père dit. Tu as l'air plus jeune, différent, je ne me souviens plus de la dernière fois que je t'ai vu avec les cheveux courts.

— Je ne les ai jamais eu courts. J'ai les cheveux longs depuis mon enfance, depuis Les Beatles.

— Personnellement, et ne te fâche pas, je te préfère avec les cheveux longs, mon père dit.

— Curieux, nous nous querellions souvent à cause de la longueur de mes cheveux.

— Tu vois, moi aussi je change, même si ta mère me dit que je suis têtu comme un âne.

Nous rions, et ma mère dit :

— Je devrais te filmer. Tu verrais comment tu agis des fois. Cela n'a pas de bon sens.

— Je suis un diable, je le sais.

Mon père sourit.

Ma mère se braque vers moi :

— Comment vont Rasa et Ada ?

Je remarque que l'enfant vient en premier, la mère ensuite. En fait, elle parle plus souvent de ma nièce Ève que de sa mère, ma sœur Lucia. Ça doit être à cause de ce sentiment inné de la progéniture chez les grands-parents. Je ne sais pas.

Mon père aurait voulu avoir des petits-fils, affaire de continuité familiale. Il s'est fait à l'idée que l'avenir appartient aux femmes.

— Rasa prend des cours de piano au Conservatoire et des cours de natation. Elle a donné son premier concert en avril. C'est pas mal, pour une petite de cinq ans.

— Tu t'entends avec Ada ? mon père dit. Tu ne nous combines pas un autre divorce ?

— On s'organise. Nous travaillons trop. Le travail, ce n'est pas bon pour un couple d'amoureux.

— Je ne veux plus en entendre parler, ma mère baisse la tête entre les mains ; elle aurait pu être une actrice. Tu es incroyable, tout de même, Fabrizio, j'aurais honte à ta place.

Déconcerté, je dis :

— Honte de quoi ?

— Des femmes que tu as connues. Pour qui tu te prends, Elizabeth Taylor ?

— Ce n'est pas de ma faute si ça s'effondre. Je ne suis pas seul dans ces histoires.

— Les femmes ne tolèrent plus les hommes comme ton père.

Mon père toise ma mère :

— Qu'entends-tu par ce commentaire ?

— Les femmes ont besoin d'être écoutées.

— C'est ça, je ne t'ai pas écoutée. Tu veux un divorce, mon père dit.

— Non, non tu m'écoutes... comme un mulet.

— Tu vois, Fabi, qui commence, c'est moi ou elle ?

Je sens que ça chauffe, je veux changer de discussion :

— Ada et moi allons bien. Nous voulons rester ensemble. Et puis il y a Rasa, je ne l'abandonnerai pas.

— Nous ne demandons pas mieux, ma mère dit, rapidement, pour éviter une escalade incontrôlable d'émotion.

Mon père me verse du vin, et s'excuse, en se levant de table. Il entre dans la chambre à coucher et en ressort avec son accordéon. Il s'installe à la table et commence à improviser une valse.

Ma mère frappe des mains au rythme de la chanson qu'elle reconnaît.

— C'est en dansant sur cette valse que ton père et moi nous nous sommes rencontrés la première fois. C'était pendant la guerre de 1939. Nous étions enfants, imagine. Cupidon nous a tiré une flèche dans le cœur, et nous voilà, deux vieillards qui se tortillent de douleur.

Je débarrasse la table, tout en suivant l'air de valse sortant des doigts de mon père, accompagné des commentaires de ma mère. Je nettoie la vaisselle. Le vin m'a ramolli l'esprit. Je sens qu'une sieste me ferait du bien. J'ai un mal de tête.

— J'adore la musique, Papa, mais je dois m'allonger. Je vais m'écrouler sinon. Mon avion est à minuit, et je sens que je ne tiendrai pas le coup. Je vous aime, chers parents.

— Va, va, mon père dit. Ne te dérange pas pour nous. Fais comme chez toi. Pas de compliments. Va. Au lit.

J'embrasse ma mère sur le front et je vais m'étendre sur le divan dans le salon. Les stores sont fermés, la pièce est sombre, on dirait une chambre dans une maison d'été à Termoli. Je m'endors, au rythme de la valse, comme un enfant sur le ventre de sa mère.

22

Marise se tient à l'entrée du restaurant Dai Baffoni, une canne à la main. Je vais à sa rencontre, je l'enlace. Je l'aide à s'asseoir en face de moi, elle paraît fatiguée, terriblement fatiguée. Je note la rougeur que l'âge a peint sur son visage et ses mains. Marise est aussi ravissante à quarante-huit ans qu'à quatorze. J'ai l'impression que je n'aurais pas pu lui donner le bonheur que d'autres hommes lui ont donné. J'en aurais été certainement incapable, elle n'aurait pas supporté de vivre des années durant auprès d'un nerveux comme moi.

Je n'ai pas le courage de le lui avouer. Il est vrai, on peut aimer des gens sans pouvoir vivre avec.

Je tergiverse, je marmonne quelques banalités. Lui confier qu'elle a été la femme que j'ai le plus aimée, ça c'est toute une autre histoire.

Quand je dis qu'à quatorze ans j'ai été cruellement jaloux des hommes qui tourbillonnaient autour d'elle, et que c'est précisément cette jalousie qui nous a conduits à la rupture, Marise ne sait pas de quoi je parle.

Elle se souvient de moi comme étant gentil et attentif à ses besoins.

— Et pourtant, nous en avons eu des bagarres à cause de ma jalousie. Après que tu eus mis un terme à notre amour, j'ai vu un psychiatre, question de me défaire de ces menottes émotives et vulgaires. La jalousie est un abrutissement.

Non, elle se souvient de la fois où je lui reprochais d'avoir les pieds sales.

— Tu m'as dit que je devais me laver plus souvent les pieds.

— Comment aurais-je osé cracher une grossièreté pareille à une si belle femme ? Le pire c'est que je m'en souviens très bien. Ce n'était pas une critique. À l'époque, on ne m'avait pas appris l'élégance de l'attaque déguisée. Depuis, j'ai appris à enrober mes reproches avec le charme du séducteur. J'étais fruste et, à certains égards, je le suis toujours. Que veux-tu, le pied c'est tout pour moi.

Je suis conscient du jeu de mots, et elle rit.

— On ne tue pas le rustre en soi comme une araignée sur le mur. La civilité urbaine, ça s'acquiert graduellement. Parfois, cela prend des décennies d'apprentissage.

Marise sait de quoi je parle, elle préfère ne pas l'entendre, et surtout pas de moi.

J'aurais dû faire gaffe, ma bouche est plus rapide que mon bon jugement. Je déblatère les âneries qui me passent par la tête.

Ce n'est pas ce qu'on dit qu'il faut dire, mais ce qu'on ne dit pas. Il faut dire ce qu'on a dans le cœur, et pas ce qu'on a sur le cœur. Il faut dire ce qu'on doit dire parce que le temps est limité, et parce que finalement si on ne le dit pas, on ne le dira jamais. Et l'autre ne le saura jamais. L'autre ne saura pas ce qu'on pense vraiment.

Je n'y crois pas, et puis, oui, je le crois tout à fait, un homme peut quitter une femme mature comme Marise pour une jeune, plus en forme, plus jolie, plus dotée en chair dans ses zones érogènes. C'est une chose possible, raisonnable, on laisse sa femme dans la quarantaine et ses enfants pour une *bunny* aux œstrogènes sauvages. Là n'est pas le problème. Je dirais même que c'est la loi de la nature.

Ce qui est plus rare, c'est qu'un homme comme moi soit prêt à tout abandonner pour cette femme qui n'est plus jeune, avec trois enfants, qui a besoin d'une canne pour marcher, cette avocate qui aime plus ou moins son travail, avec un esprit plus borné que ma jeune épouse. Quelle ardeur pousse ce genre d'homme à entreprendre cette expédition sentimentale ?

Je ne connais rien de l'humain. Je ne comprends rien à moi-même. Chaque fois qu'on pose le doigt sur un pli de ma personnalité, le tissu s'étire et le pli disparaît. Je suis comme un tissu, limité, dont les mailles semblent infinies, je me cache dans ces plis qui s'aplatissent sous la pression des doigts des gens que j'aime.

Je ne sais pas ce qui fait en moi que je désire ce que je ne peux avoir.

Elle me dit qu'elle a de graves problèmes de genoux, elle a de terribles douleurs au dos, elle a une colite ulcéreuse.

Sa canne est de plastique noir, avec deux vis qui contrôlent la hauteur des deux pièces et qui s'enfilent l'une dans l'autre. La poignée courbée glisse joliment dans la paume de sa main délicate.

Je cherche un adjectif pour décrire les mains de Marise. Je n'y arrive pas. J'ai un faible pour ses mains. Fines. Les ongles aristocratiquement plats et droits. Bien coupés. Elle porte une alliance à l'annulaire droit.

Cela me surprend puisqu'elle est séparée depuis plus d'un an.

— C'est le seul bijou de valeur que j'ai.

Je lui touche la main droite. Elle détourne les yeux.

— Quel plaisir d'être là devant toi, j'ose dire.

Je me retiens lorsque je veux foncer. Je fonce lorsque je veux me contrôler, je ris, je tente de rompre l'iceberg qui est là entre nous depuis que nous nous connaissons.

Elle dit qu'elle m'aime comme elle aime un arbre.

— Je veux bien que tu m'aimes comme un arbre, je dis.

Je lui parle de mon dernier voyage à New York.

Elle avoue ne jamais y être allée.

Je suis prêt à téléphoner à mon agent de voyage à l'instant même.

— On y va ensemble tout de suite, si tu veux.

Elle sourit, elle en doute.

Je sais que ce que je dis n'est pas une blague.

Elle me demande comment va ma vie amoureuse.

— Je pense au bonheur.

— Je ne sais plus ce qu'est le bonheur. Je ne sais plus ce qu'aimer signifie. Je ne sais qu'une seule chose et c'est de faire attention à ma petite vie.

Nous discutons politique, du mouvement vers la droite du pays, de la démoralisation de la nouvelle gauche.

— Dans un monde où les petits se font acheter quotidiennement par les gros qui, eux, se font acheter par les plus gros, la moralité de la gauche ne suffit plus.

— Je reste fidèle à l'idée de la gauche. Je la renforce par la lecture et l'analyse. Je ne sais plus quoi penser de la quête de religion chez les gens de notre génération. Elle me demande depuis quand je suis végétarien. Je dis depuis une dizaine d'années. En fait, mon régime alimentaire n'a pas trop changé, j'aime toujours bien manger, boire et fumer une cigarette de temps en temps.

— Être végétarien n'est pas un handicap.

Elle mange son veau, moi mes pâtes.

Nous buvons une bouteille de vin rouge dont le nom m'échappe.

J'ai une bonne mémoire des choses produites de longue date, mais ma mémoire s'effrite en cherchant un geste à peine accompli. J'admire les gens qui se rappellent la couleur d'un vêtement qu'ils ont mis pour tel ou tel événement. Ou la sorte de chaussures qu'ils portaient et ce qu'ils ont mangé.

Je ne me souviens plus de la moitié de mon existence. Je tente de construire des îlots de faits et de les lier ensuite par des ponts.

— Il y a certains incidents dont il vaut la peine de se souvenir. D'autres, que je classe dans un tiroir d'une filière de mon cerveau. Mais j'oublie la filière aussitôt que le tiroir est fermé. Les dossiers que je croyais si essentiels pour ma survie se désagrègent. Ce sont les moments en apparence sans importance qui perdurent.

Elle conclut que ma vie est constituée de grands trous et d'espaces vides, couverts de neige et de froidure.

— C'est ma présence ensoleillée qui te manque, elle dit en ricanant.

Je parle de nos appels téléphoniques de jeunesse. En trente-trois ans, le téléphone a sonné pas mal de fois.

— Tu cries au secours quand tu as besoin d'un lien entre ce que tu vis et ce que tu vivras. Je suis un chaînon d'une longue chaîne qui se casse sans cesse. Je suis l'anneau entre ton passé et ton avenir. J'ai la chance de t'être utile. Mais tu m'as interdit tout contact amoureux réel. Tu ne m'as pas choisi hier, et tu ne me choisiras pas demain.

— C'est ça. Aussitôt le maillon réparé, je te mets à la porte, et tu te retrouves seul, sans la femme de ta vie. Tu es idiot. Je t'aime, j'ai besoin de partager mes secrets avec toi, et pas avec un autre.

— Je suis un ami. Mais l'amitié n'est pas amour. J'ai envie de te prendre par les bras et de rugir. Je ne veux plus être un ami, je n'ai plus envie d'être ton ami, je cherche un endroit exceptionnel dans ton cœur. Je veux être ton amant, ton obsession.

Elle dit que l'amitié est plus durable que l'amour, et moi je dis que je préfère plutôt brûler comme une allumette entre ses doigts que de me retrouver dans les déchets puants de l'amitié.

Nous sommes finalement deux étrangers.

— Je suis l'homme de ta vie, j'en suis convaincu. Je veux rester auprès de toi, comme l'air dans les poumons d'un noyé.

— La séparation, cette fois-ci, ne sera pas de ma faute. Tu n'es pas disponible, tu es marié avec Ada, que tu aimes follement.

— Le fait d'être un mari diminue-t-il mes chances d'être un amant ? Le mariage proscrit-il toute passion ?

Je me sens férocement seul, violemment éloigné de mon désir. Je sens monter en moi cette rage qui peut faire mal. Je m'en veux, je me hais de ne pas pouvoir me donner complètement à Marise.

Je ne veux pas être violent, j'abhorre la violence.

Je veux me forcer par amour, par ma présence silencieuse, attentive, je veux disparaître en elle, comme le vin qu'elle boit, lui caresser les joues de l'intérieur, descendre l'œsophage, pour ensuite m'évanouir dans un rêve. Je me tiens à distance, sans la toucher, aussi éloigné que possible dans sa quotidienneté, et pourtant je veux lui être aussi nécessaire qu'un verre d'eau.

Je ne la touche pas par crainte de l'offusquer, par crainte de la blesser.

Qu'il est difficile d'aimer, qu'il est difficile d'être aimé.

Nous sommes à l'extérieur. Il est tard, plus tard que prévu, je ne pourrai jamais attraper mon avion à Dorval à temps.

Il y a du trafic sur Saint-Laurent, beaucoup de trafic, c'est la fin de semaine qui commence. Les gens veulent oublier leur boulot, ils veulent vivre leurs fantasmes qui s'envolent comme le bruit des voitures qui s'enfoncent dans la nuit éclairée.

Je prends Marise par le bras pour la conduire vers sa voiture. Marise s'arrête et dit :

— J'ai envie de te toucher, de te prendre les pieds et de les frotter, j'ai envie de faire l'amour avec toi.

— Je ne veux pas rompre avec Ada. C'est important pour ma fille.

— Soyons adultes. Utilise-moi afin d'oublier ton passé.

— Mais tu fais partie de mon passé.

— Plus maintenant.

23

Ma fille ne cesse de me parler. Elle refuse d'aller au Junior Kindergarden et veut rester auprès de moi, assise à sa table, qu'elle place près de la mienne, elle veut discuter avec ses amis imaginaires, avec moi, qui ne suis pas moins réel que ses amis assis autour d'elle dans mon bureau.

Elle m'oblige à ne pas l'observer, je dois travailler, sinon faire semblant de travailler, surtout ne pas la dévisager.

Je ne la regarde plus.

Elle travaille. Elle joue à travailler. Elle joue.

Elle demande comment on fait ça, mettre les broches dans l'agrafe.

Sa question est plus qu'une question, c'est un ordre qui requiert une attention immédiate.

— Papa, je veux te parler, je veux que tu me parles, je veux qu'on passe quelque temps ensemble.

J'arrête tout ce que je fais et je m'agenouille à ses côtés. Je l'écoute.

Le téléphone sonne, le télécopieur roule, je ne bouge pas du plancher.

Je deviens son grand frère, je ne veux absolument pas faire semblant d'être son serviteur, mais je le suis, que je le veuille ou non.

Je disparais à moi-même.

Je deviens son cheval, sauvage et râblé, qui obéit à ses ordres quand elle m'ordonne de me mettre à quatre pattes par terre. Rasa aime les chevaux, surtout les vrais, car les autres, en plastique, elle n'arrive pas à les monter.

Un jour, la mère de sa copine Aube est allée au zoo et a amené Rasa. Habituellement, je déteste ce « prêt » d'enfants, mais, avec la mère d'Aube, tous mes obstacles sont tombés.

Suzanne est une Acadienne du Nouveau-Brunswick à qui on ne peut rien refuser. Dès qu'elle m'a adressé la parole en français, toutes mes gardes se sont détachées de mon corps. C'était la première fois en cinq ans que je me retrouvais seul dans la maison.

J'ai beau être italien, quelque chose vibre en moi chaque fois que j'entends parler français. Cela à cause du rapport que j'établis entre cette manière de parler et le dialecte que j'utilisais, enfant, avec mes parents.

Bon, ce samedi-là, Rasa est montée sur un vrai poney. Le soir, quand on a su qu'elle était envolée dans un rêve, on s'est dit, Ada et moi :

— Ça y est, elle nous priera de lui acheter un cheval.

Étrangement, ce ne fut pas le cas. Son enthousiasme pour l'hippisme est plus profond. Plus profond que les mots qu'elle avait pour expliquer son expérience. Elle a décidé de devenir vétérinaire.

Ada et moi attendons que ce souhait d'enfant se réalise.

Marise me dit que son sexe, depuis la naissance des jumeaux, n'est pas ce qu'il était.

Je lui dis qu'elle est folle.

— Il n'y a rien de plus merveilleux qu'un sexe de femme qui a donné naissance à un enfant.

Elle me regarde, éblouie. Elle n'a jamais entendu ce genre de propos. C'est une intimité que son mari lui refusait.

— Je peux t'en donner la preuve, ici, dans ta camionnette.

Il est vrai, je suis prêt à me mettre à genoux et à jouer toute ma vie, Ada, Rasa, mon existence matérielle, pour lui démontrer à quel point elle a tort de se croire laide.

À quarante-huit ans, elle est un souffle de vent frais qui traverse le bâtiment calme et propre qu'est devenu mon train-train routinier depuis que j'habite Toronto.

Trisa me réitère dans ses courriels que j'ai quitté Montréal comme un adolescent qui se sauve de sa maison paternelle. Trisa a raison. La raison pour laquelle j'ai plié bagage pour m'enfuir reste un mystère.

Chacun doit, un jour ou l'autre, dire adieu à ses parents pour affronter la vraie vie. Il est trop facile de s'enfermer dans sa chambre, comme un enfant gâté qui se blottit dans le sein de sa mère. Qu'on le veuille ou non, l'alarme sonne et les lumières de l'autoroute nous appellent pour aller ailleurs.

Je ne sais pas pourquoi, Marise est celle que je choisis pour me tirer hors de ma peinardise. C'est comme si mon foyer torontois remplaçait la tranquillité pantouflarde montréalaise que j'avais laissée il y a de cela près de dix ans.

Tout dans la résidence est ordonné, et puis une femme frappe à la porte. On ouvre parce qu'on veut s'ouvrir à l'autre. L'étrangère s'installe dans le vestibule plein de fils d'araignées, qui débouche droit au cœur. Il nous semble avoir négligé cette pièce. Oui, on connaît bien cette petite chambre étroite avec sa fenêtre qui donne sur le parc adjacent riche d'érables et de marronniers. Pourquoi nous apparaissait-elle secondaire ? Aucune alcôve n'est secondaire. Chaque recoin, chaque corridor fait partie de son refuge.

On ne peut, comme je l'ai fait, feindre ; aucun angle particulier n'est moins important qu'un autre. Cette boutade ne dure qu'un certain temps. Vieillir, c'est comprendre que le tout, aussi vaste, aussi minuscule qu'il soit, est la somme des parties.

Je croyais pouvoir échapper à la présence d'autres femmes. Je traverse une période tragique pour mes relations humaines. Les rencontres ne sont plus faciles. Il est impossible de séduire ou d'être séduit. La médecine et l'église nous poussent à agir comme des paranos. La connivence entre un homme et une femme, même transformée, demeure toutefois possible.

Le rejet. Il faut le vivre. Être tassé de côté. Ada me rejette souvent. Elle décline toute offre de faire l'amour, tout attouchement, toute parole à caractère sexuel. Pourtant, elle insiste qu'elle m'aime. Ses mots n'effacent aucunement mes doutes. Je ne la crois plus, elle ne m'aime pas, elle aime Rasa et cet amour lui suffit.

Les scientifiques gaspillent des milliards de dollars américains par année pour trouver des solutions à ce « handicap » biologique. Au bout du compte, la femelle reste le genre qui portera dans son ventre le passé et le futur de l'humanité. L'autre est remplaçable, jetable. L'homme sans importance, un joujou chéri.

La biologie, en ce sens, Robin Baker a raison, continue à jouer un rôle fondamental dans l'évolution des rapports hommes-femmes. Les médias se fatiguent à nous faire croire que la pucelle est synonyme de beauté et de longévité. Justement, à cause de la longue vie qu'elle promet, non pas au mâle, mais au nouveau-né. On est toujours un mauvais père ou une mauvaise mère. Ça fait partie du contrat. Il faut être un peu innocent pour avoir des enfants et inconscient pour les éduquer. C'est pour cela que je crois qu'il est mieux de les avoir jeune, quand tout le monde est beau, tout le monde est gentil. En vieillissant, on devient un miroir et c'est plus difficile d'être le miroir de son enfant.

Je dis à Marise :

— Tu es devenue plus résistante à cause de tes enfants. Cette force ne fait qu'ajouter à la beauté de ton corps. Tu n'es plus une machine procréatrice, mais un être enfin libre.

Elle me prend la main et ne dit rien. Le silence est souvent le meilleur moyen d'approuver une idée farfelue.

Je me suis dit, s'il faut que je sois infidèle, je dois le faire avec dignité. La promesse de fidélité perdure. On doit pouvoir aussi s'offrir et recevoir l'amour que transmet le corps vieillissant.

La passion juvénile est inconsciente. On se donne comme on reçoit : sans trop de malaise, sans trop de maladresse. Si la sincérité y est, la vague se déchaîne plus vite que les excuses et les pardons.

On a mal dans son orgueil. On refuse d'analyser les circonstances et les pulsions qui propulsent le corps à exprimer ses millions d'années d'existence. La fugue du cerveau est comparativement jeune. Cette idée ne vient pas de moi, elle est géniale : le corps est plus ancien que le cerveau.

Les muscles pensent plus vite que notre matière grise. Cette sagesse que l'être acquiert en vieillissant vient du fait que la tête arrive finalement à comprendre la complexité du corps qui, lui, reste branché à la survie. M'approcher dangereusement de Marise signifie que mon vieillissement psychique a atteint le savoir de mes muscles.

Loin de moi l'intention de m'imposer à Marise. Il n'existe aucune barrière à arracher. Ce qui me retient est la main qui émerge de mon intérieur. Vais-je contre et à l'encontre de ma destinée ?

Mon histoire se complète. J'entre, avec fierté, dans le monde que je crée. Marise entre, avec fierté, dans le monde qu'elle crée.

Je ne comprends pas ce qui me prend. Refuser l'invitation serait me tuer. Quel est le plus douloureux : pleurer ou rire ?

Je m'imagine déshabillé, et le temps devient espace et l'espace devient un courant lumineux qui transperce nos corps. Émerveillement.

Je lui dis que je voudrais pouvoir caresser son sexe avec ma langue. Je n'ai pas le courage de mes idées. Je ne sais quel caprice me propulse à lui avouer ce fantasme.

— Nous avons vingt ans à rattraper, elle dit.

Je l'assure que ma patience est la preuve que nous sommes sur la même longueur d'onde. Elle s'allume une cigarette qu'elle avale comme une gorgée de vin. Elle dit que fumer dans de telles circonstances est une échappatoire. Je ne fume que trois cigarettes par jour.

— Je veux que tu mettes ta langue entre mes cuisses, elle me dit en regardant par la vitre baissée de sa camionnette.

— Ici ?

Je sens une boule de feu descendre de mon cœur jusqu'à mon ventre. Je ne sais plus trop bien si je bande ou si je suis en train de souffrir d'un ulcère. Je lui serre la main pour me contenir, pour ne pas exploser comme une grenouille qu'on aurait emplie d'eau.

Marise a trop bu. Je m'offre de la reconduire.

Elle sort de la camionnette et je m'assieds derrière le volant et glisse, je ne comprends pas comment, la vitesse en marche arrière. La camionnette part à reculons.

Marise échappe sa canne et par miracle évite le pare-chocs arrière du véhicule. Je freine, mais il est trop tard. La canne de Marise s'émiette sous la roue arrière, côté passager. Je descends, je veux m'excuser, Marise est hors d'elle.

— Tu aurais pu me tuer.

Mes yeux rencontrent un aigle tueur dans ses yeux.

— Je suis un imbécile.

— Un vrai imbécile.

Je veux la consoler.

Marise glatit, en me poussant de toutes ses forces.

Pourquoi mon inconscient m'aurait-il joué ce tour stupide ? Je suis contre la violence physique. Je me confronte à la faiblesse qui m'aurait encouragé à éliminer celle qui m'a mis dans une telle confusion.

Marise mérite davantage de respect.

La possibilité d'aimer deux personnes en même temps se présente à moi comme un exercice infaisable, une acrobatie émotionnelle que je ne veux évidemment pas soutenir.

C'est Léah Simon, qui m'a enseigné plus d'une chose de ce côté-là. Quel soulagement ce fut lorsqu'elle m'a annoncé qu'elle déménageait avec Mario Berger en Israël. J'avais profité – quel mot affreusement adéquat – de son soutien financier pour terminer *Antigone Pacifica.* Son départ m'a libéré une fois pour toutes du joug d'une passion pénible. Revenir sur une histoire du genre me pousserait au suicide.

Je ne suis pas très brillant. Je recule en avançant vers un avenir dont le sens m'échappe. Je n'arrive plus très bien à lire les messages écrits sur notre peau. J'improvise, je rote, je grimace. J'invente une mélodie à partir de ma raison embrouillée.

On rencontre l'amour par la raison. Dante dit ça quelque part dans *La Divina Comedia.* Pourtant ce sont ses émotions qui le retiennent à Béatrice. Il est facile de crier « au secours, raison », quand la raison est disparue.

Le cœur y est pour quelque chose. Le cœur est là pour réparer les dégâts que l'intellect jette par tous les côtés.

Où courir quand l'émotion me déchire les vêtements que je porte ? Je me tiens nu devant cette étrangère, que j'ose appeler mon premier amour. Je n'arrive pas à décider si je la tire sur son futon ou si je m'enfuis par la porte de sortie ?

Le pire, c'est qu'avec la raison il n'existe pas de porte de sortie. Seul l'anéantissement de la raison par l'imagination débridée peut me sauver.

J'agis comme si mon cerveau avait été crevé par la flèche de Cupidon.

Je préfère Ovide le végétarien à Dante le catholique.

Le premier amour d'Apollon est Daphné. Fier de sa victoire contre le colossal serpent Python, Apollon dit avec condescendance à Cupidon qui essuie la corde de son arc :

— Petit enfant, que fais-tu avec une arme pareille ? Tu veux jouer au râblé. Je suis un dur, j'abats les bêtes sauvages.

L'enfant n'a pas peur, et dit :

— Apollon, avec ton arc tu peux tout percer. Moi, avec le mien, je peux te percer, toi. Les animaux sont sous ton pouvoir, mais tu es inférieur à moi.

Cupidon fend l'air avec ses ailes et va se poser sous l'ombre d'un arbre du Parnasse. Il tire deux flèches qui ont des effets opposés : l'une fait naître l'amour, l'autre l'anéantit.

Il blesse Apollon avec une première flèche. Il s'amourache aussitôt de Daphné, que Cupidon pique ensuite avec la seconde flèche.

La nymphe s'enfuit dans les bois, Apollon la suit en courant.

Daphné a plusieurs prétendants, mais elle les dédaigne tous. Entraînée par les ailes, Daphné parcourt la forêt en toute solitude, jusqu'à ce qu'elle n'en puisse plus.

Le vent lui enlève ses vêtements.

Apollon la suit pas à pas comme un chien qui s'élance après un lièvre.

Blême, à bout de force, Daphné tombe à genoux et demande au ciel de venir à son secours.

Apollon s'arrête devant la déesse et aperçoit une mince écorce qui commence à couvrir les seins de Daphné.

Il pose ses lèvres sur Daphné qui se transforme lentement en arbre. L'écorce de l'arbre repousse les baisers d'Apollon.

— Puisque tu ne veux pas être ma femme, tu seras mon arbre à moi.

Ainsi, tous les étés Apollon orne sa tête d'une branche fleurie de laurier. Il tombe amoureux de l'arbre.

Le soleil coule sa chaleur sur l'arbre.

Une rivière gît calme sous le ciel bleu.

Le laurier courbe ses branches et secoue sa cime comme une tête.

Je dis :

— Toute ma vie il m'a semblé avoir couru après toi.

Je te suivais comme un sans-dessein, ne sachant pas trop si je devais sauter dans une nouvelle aventure ou bien me retirer dans la forêt de mon obsession.

Plus je vieillis, moins j'en sais de l'amour.

Je suis plus ignorant à quarante-huit ans qu'à dix-huit.

Je suis curieux toutefois. Je suis curieux de toucher le corps de Marise.

Le couple est en crise parce qu'on ne comprend plus ce qui fait que le couple est un couple.

Nous sommes dans son lit. Nus. La fumée magique du hachisch perd de son effet.

Nous nous regardons tranquillement.

— Le désir disparaît si on ne l'alimente pas, dit Marise.

Je me demande ce que je peux répondre à ce commentaire. Je ne dis rien. Je me faufile plus près d'elle.

Nous restons là, sans bouger, dans la quasi-pénombre de sa grande chambre presque vide.

Il y a peu de meubles, une commode et une chaise du début du siècle. Une toile moderne avec une boule rouge dans un carré. Le tableau est d'un artiste important que je ne connais pas. Marise me prend par le bras, me tire pour que je glisse de tout mon corps sur elle. Elle a les yeux grands ouverts. Je pose maladroitement mes lèvres sur son front.

— Fais-moi l'amour, me dit-elle. Je ne cherche pas le lyrisme chez toi. Ce serait le comble. Je ne sais pas ce que je cherche en toi. On cherche quoi au fond chez l'autre ? Soi-même ? La différence ? Je cherche peut-être le contraire de celle que je suis.

— Je veux parler de toi, puisque j'en ai envie, et pour moi cela est juste. Coupable ou pas. Insiste, sans insister. La présence gagne tout le temps.

— Je n'aime pas humilier, ni m'humilier. Si tu crois que je me colle trop, tu me le dis. Je n'ai plus rien à perdre. Il faut savoir dire son amour. Je ne veux surtout pas t'offenser ou te blesser.

Je m'approche du visage de Marise. Je veux la voir sourire, mais je n'y arrive pas. Je prends son visage entre les paumes de mes mains et pose mes lèvres sur les siennes. Je l'embrasse longuement, sans ouvrir la bouche. Je veux que ce soient mes lèvres qui parlent de mon amour toujours vivant pour elle.

Non. Je me lève du lit. Je lui demande de m'appeler un taxi. Je veux partir. Je dis que je serai toujours là pour l'aider, qu'elle m'appelle d'urgence si besoin il y a. Mais, en ce moment de grande tendresse, j'ai besoin de m'en aller. Je ne peux continuer. Je ne sais pas pourquoi.

Marise ne dit rien. Ou si peu. Quelques mots sans importance.

Elle s'étire vers le téléphone sur la table de nuit, où sont empilés quelques romans d'amour.

Marise dit :

— Tu as appris à t'abandonner à l'amour et à la passion sans pour cela devenir leur esclave.

24

J'arrive sur la Dix-neuvième Avenue, chez ma sœur. Lucia a acheté la maison de mes parents.

Des voitures de policiers longent la rue. Je dois descendre du taxi et marcher le reste.

La porte est entrouverte. Lucia est planquée derrière. Ce n'est pas moi qu'elle attend. Elle éclate en sanglots lorsqu'elle m'aperçoit.

— C'est Peter.

Je ne la comprends pas. Elle pointe vers les policiers.

— Peter ?

— Oui, il est là.

Je lui demande il est où, elle ne répond pas. Elle fixe les voitures et je me retourne pour inspecter plus attentivement les policiers. Il y a des hommes habillés en civil avec des fusils dans les mains.

— Peter est assis dans la voiture, elle dit.

Je devine la silhouette d'un homme sur le siège arrière d'une voiture de police.

— Où l'amènent-ils ? je demande en dialecte.

— C'est un fou, je te dis, un vrai capoté.

Elle explique comment l'agent de police lui a annoncé que Peter avait commis au moins dix hold-ups de suite à Toronto. Il était un vendeur de haschich pour la petite pègre de Saint-Michel.

Ai-je le courage de lui dire que j'ai moi-même assisté à un de ces hold-ups ce matin ?

Je n'ai pas le choix et je raconte tout ce que je sais à propos de son mari.

— Tu ne sais pas ce que je vis depuis seize ans, Lucia dit.

— Il faut que tu le laisses.

— Impossible.

Je scrute les voitures de police. Les policiers s'apprêtent à quitter les lieux. Je prends Lucia par le bras et ferme la porte. La petite est au lit, elle dort.

— Non, je ne vais pas appeler Papa.

Il est inutile de m'obstiner. Lucia est têtue. Une fois qu'elle se met une idée dans la tête, rien à faire.

Je lui demande si je dois rester pour la nuit. Elle dit non.

Je n'ai pas envie de la laisser seule avec son chagrin. Elle doit souffrir. Elle a sûrement honte. Elle est le centre de tant de commotions. Tous les voisins, derrière leurs rideaux, se doutent du mal qu'elle vit. Son secret n'en est plus un.

Vingt-deux heures.

Je dois décider si je reste ou si je pars. Mon avion ne m'attendra pas. Je m'assieds sur une chaise dans la cuisine de notre enfance, la même cuisine où elle nous avait présenté Peter Hébert.

La cuisine n'a pas changé. Lucia n'a pas la bravoure qu'il faut pour l'aménager à sa façon.

— Les murs contiennent trop de souvenirs, elle dit en sirotant un verre d'eau.

136

Je me lève pour lui caresser les cheveux. Aucun mot de consolation ne sort de ma bouche. Nous nous asseyons et nous comptons les nervures du bois de la table à manger. Des gouttes de pluie cognent contre les fenêtres. On dirait un mauvais film.

— Es-tu certaine que tu ne veux pas que je reste coucher ? Je peux prendre l'avion demain matin.

Elle parle doucement, me confessant qu'elle préfère être seule. Elle peut amener la petite chez nos parents.

— Comment va Ève ? je dis.

Ève va bien. Ève n'est plus une enfant. Ève a seize ans. Ève a un ami. Ève ira bientôt au cégep. Ève prend des leçons de conduite.

Lucia s'impatiente. Elle dit qu'elle appellera un avocat. Elle doit sortir son mari de prison.

Je dis qu'il est mieux qu'elle l'oublie, question de respirer un peu.

Lucia se fâche, m'oblige à ne pas me mêler de ce qui ne me regarde pas.

Entre mari et femme, on ne fait pas passer un fil.

Quand je lui demande si elle était au courant des affaires illicites de son mari, Lucia ne répond pas à ma question.

— Tu ne t'imagines pas que je vais le jeter à la poubelle. Peter Hébert, c'est le père de mon enfant.

Il me vient l'envie de lui raconter une farce stupide sur la différence entre les hommes et les femmes, mais je me tais, même si un peu d'humour lui ferait du bien. Lucia adore rire.

— As-tu un journal que tu peux me passer ?

— Un journal ?

— Je veux lire mon horoscope.

Elle tire le *Journal de Montréal* de la pile d'anciens journaux qu'elle garde près du frigo. Elle tourne les pages à coups de chiquenaudes jusqu'aux horoscopes. Elle lit : « Tu n'évites pas de rencontrer tes ex. Grâce à elles, tu apprendras un tas de choses : entre autres, de ne pas remâcher les erreurs du passé. »

— Curieux, car aujourd'hui je suis tombé sur Thomas et Marise.

— Ils étaient ensemble ?

— Non. Je les ai vus séparément. Thomas m'a sollicité du sperme pour faire un enfant, et Marise...

— Tu as couché avec elle.

— Quasiment.

Lucia rit :

— Tu n'arrivais pas à bander.

— Quelque chose comme ça.

Je lui dis d'appeler un taxi. Je ramasse le journal que Lucia tasse de côté pour le jeter dans la boîte à recyclage.

Lucia se blottit contre moi.

Elle a une larme au coin de l'œil. Elle ferme la porte et éteint la lumière du balcon.

Il pleut. L'air nocturne est humide et frais.

Je tiens le journal comme un parapluie au-dessus de ma tête. Un nocturne de Chopin exécuté par Stefan Askenase dans l'esprit.

25

— C'est ici que j'entre.

Quelqu'un prononce cette phrase en plein milieu de la nuit. Mes yeux s'ouvrent. Avec peine je cherche la main d'Ada sous les couvertures. Elle dort. Ce n'est pas Ada qui a parlé.

Je me tire du lit et déambule jusque dans la cuisine. Les stores sont levés, tels que je les avais laissés avant de me coucher. J'aime que le soleil du matin brûle l'intérieur de la maison.

Les voisins dorment, sauf un. La lumière de son poste de télévision bondit contre les murs de la chambre non éclairée.

Tout en continuant à scruter les fenêtres, je bois de l'eau de source à même le goulot de la bouteille. Ada n'apprécie pas ce geste.

Je me sens bien. Il n'y a plus de confusion dans ma tête, je suis tout à fait éveillé maintenant.

L'homme des collines, voilà ce qui est venu me secouer.

Je reconnais sa voix douce et réconfortante.

Des images fugaces virevoltent en moi.

Je le vois se tenir debout à mes côtés, avec un vêtement rudimentaire fait de chanvre. J'éclate de rire, car je ne crois pas aux anges, je ne crois pas aux esprits.

Il fut un temps où je croyais au monde des fantômes. Ce temps est révolu.

Je veux vivre ma vie comme un rat en cage. Je veux être libre de tourner en rond, une obsession dans la tête, dans ce dédale que je suis en train de me construire. Ma vie est un fiasco et l'insuccès m'évite de me prendre trop au sérieux.

Depuis longtemps, l'échec inflige en moi un sens accru du rôle de romantique maudit dans le mauvais scénario qu'est devenue mon existence. Je ne veux plus jouer l'idiot d'un film, bon ou mauvais.

Avoir le sentiment que ma pensée est prédéterminée par mon système de croyance freine toute fuite vers l'ailleurs.

Non, la voix que je viens d'entendre n'a pas été émise par un soldat du ciel, c'est la voix qui surgit en moi, de l'intérieur de moi, des parois de mon corps, de mes muscles. C'est mon sang qui bat.

La vivacité de chaque syllabe me rassure.

Celui qui parle, c'est-à-dire la chose en moi qui est venue s'exprimer ainsi, souhaite se manifester directement, sans qu'aucune notion du bien ou du mal y soit attachée.

Je traverse un grand champ dans une robe de coton beige. La mer murmure au-delà de la colline. Je monte le flanc de cette colline.

À l'horizon reposent les murs d'une cité médiévale. Je reconnais l'endroit pour y avoir vécu une année.

Le bleu du ciel est glorieux de la présence des humains. Aucun dieu n'est embusqué derrière les nuages.

Cette géographie m'est familière. Je peux même dire que c'est mon chez-moi, en dépit du fait que les lois internationales m'interdisent de nommer demeure ce qui m'est étranger.

J'ai le sentiment net que je suis en terre connue.

Contentement.

C'est ici que j'entre.

L'*ici*.

Il est tard, je suis fatigué, je n'arrive pas à dormir.

Il frappe à la porte. Il vient me dégager des couvertures du lit pour me conduire dans ce paysage moyenâgeux.

Je monte la colline vers les murs de la cité et je m'aperçois que les sandales que je chausse ne viennent pas de la boutique de Thomas.

Je contemple le calme de la mer.

Tout ce qui se produit et se présente à moi m'est familier.

Je ne suis pas seul.

Je cherche à rencontrer les yeux de l'homme des collines qui marche à mes côtés.

L'homme me sourit. Je lui souris.

Nous montons ensemble le champ d'oliviers.

Il dit en italien :

— *Sono Adamo.*

Je suis Adam.

—Je reconnais votre visage, je ne sais d'où.

Adamo continue de marcher, les yeux allant du ciel à la mer, d'un mouvement calme et intense.

Je remarque qu'il ne plisse pas les yeux dans la clarté du jour.

Adamo me surprend en train de le fixer. Il dit :

— Tu sais où tu es. Tu es là où tu dois être.

C'est l'Adriatique.

Adamo incline la tête.

Je m'arrête, place courtoisement ma main sur sa main.

Qu'est-ce que je fais ici ? Je devrais être dans mon lit en train de dormir.

— Tu ne trouves pas que tu as assez dormi.

Adamo savoure la mer.

— Ça fait plus d'un siècle que tu transportes le monde sur tes épaules. Tu dois bien en avoir marre.

Je baisse les yeux. Je mets les mains sur mon visage. Un siècle passe devant moi.

— C'était plus facile de dormir dans la mauvaise herbe et le sumac vénéneux...

... que de te tenir en équilibre sur l'axe de la terre.

Je retire les mains de mon visage, je suis seul.

Adamo est déjà loin, devant les portes de la cité.

Je cours pour le rejoindre, j'ai tant de questions à lui poser. Il fait trop chaud, la sueur est un poids qui fait obstacle. Je m'assieds sur l'herbe, m'efforçant de retrouver mon souffle.

Le soleil roussit la terre.

J'appelle Adamo.

Il n'est plus là.

Je m'arrache du sable brûlant. Je franchis les portes et je me perds dans une foule besogneuse et radieuse.

Je cherche partout mais je ne trouve pas Adamo.

Je m'élance dans les ruelles. Ma course devient déambulation.

J'erre dans le labyrinthe de la cité.

J'entends l'écho de mes pas sur les dalles de pierre volcanique.

OUVRAGE RÉALISÉ PAR
LUC JACQUES, TYPOGRAPHE
ACHEVÉ D'IMPRIMER
EN OCTOBRE 2004
SUR LES PRESSES DE MARC VEILLEUX IMPRIMEUR INC.
BOUCHERVILLE (QUÉBEC)
POUR LE COMPTE
DE LEMÉAC ÉDITEUR
MONTRÉAL

DÉPÔT LÉGAL
1re ÉDITION: 4e TRIMESTRE 2004
(ED.01 / IMP. 01)